JN117339

親も子も楽になる

ひきこもり

“心の距離”を縮める

コミュニケーションの方法

改訂版

はじめに

子どものひきこもりに悩む家族の皆様へ

「また一日が終わった。今日も何もできなかった。何も新しいことができなかった。明日からどうしよう……」

これは、私が代表を務める「NPO法人ふらっとコミュニティ」（山口県宇部市、詳細は88ページ）で支援しているひきこもりの男性が、長いひきこもり生活を振り返って漏らした言葉です。男性のこうつぶやく姿とともに、私たちの活動を紹介したドキュメンタリー番組『テレメンタリー２０２０　焦燥の居場所～ひきこもり１００万人時代』（テレビ朝日系列）は、大きな反響を呼びました。

ふらっとコミュニティのもとにも、「私の子どももひきこもりなのだが、どうすればいいのかこれまで全く分からなかった」「誰かに話すのが恥ずかしいような気がして、これまで誰にも相談できなかった」といった電話が次々とかかってきました。

ひきこもりの子どもをもつ親御さんは、皆さんつらい思いを抱えていらっしゃいます。トンネルの中で、どっちの方向に明かりがあるのかも見えない不安を抱えながら、親としてできることを精一杯やってきた。それなのになぜうちの子は普通の子のように外に出て働いてくれないのか……。何か声をかけるごとに子どもから反発される、あるいは喋らなくなり、部屋からも出てこなくなったなど、どうしたらいいか分からず途方に暮れ、自信を失ってしまっている方が多いことでしょう。

勇気を出して、さまざまな機関に相談したにも関わらず、話を聞くだけで、具体的な解決策を示してくれない。あちこちの相談機関や医療機関をたらい回しにされ、八方ふさがりになり、結局どこに相談してもだめだと諦めた。親戚や知人からは「親が甘やかすからだ」「家から出してしまえばいい」と言われ、どうしていいか分からなくなり、親である自分を責めるようになって、笑うことも忘れ、うつ状態になってしまったというご家族もあるでしょう。

それでも、皆さんに知ってほしいのは、ひきこもりであるご本人たちは誰からも理解されずにつらい思いをしているということなのです。親にも申し訳ないと自分を責め、一番苦しんでいるのはご本人なのです。

だから親御さんには、まずお子さんを否定することなく、あなたのつらさを理解したいという気持ちでお子さんに接してほしい。そうして、どのようにすれば今の状況から一歩を踏み出せるか、自分の考えを押しつけるのではなく、お子さんと一緒に考えてほしいのです。

この本は、私がこれまでたくさんのひきこもりのご家族を支援してきた経験をもとに、ご家族がもう一度一緒に子どもに向き合い、歩みだす方法を皆さんに伝えるものです。

この本にたどり着かれるまでに、ご家族には何年、時には何十年という長い時間がかかったことでしょう。しかし、この本にたどり着いたことがゴールというわけではありません。ご家族がこの本を頼りに、お子さんたちの生きづらさを理解し、どう向き合い、関わったらいいかを学び、親としてできることを積み重ねていく。そうやって、家族は一歩ずつ前に踏み出すことができるのです。冒頭の「明日はどうしよう」と悩んでいた男性（ひきこもり40年）は、いま私たちの運営するＮＰＯ法人ふらっとコミュニティに通って同じ境遇の人たちと交流し、仕事も始めて2年が経過しました。

どうか諦めないでください。問題から目を背けないでください。

現実に向き合うことがつらくて、逃げたくなることもあるでしょう。時には本を読み続けるのがつらくなって、途中で閉じてしまうことがあるかもしれません。そういう時は、休憩していただいてもかまいません。でも、苦しくなくなったら必ず戻ってきて、最後まで読んでください。諦めずに関わり続けることが大切なのです。

本書の背景と内容

現在、ひきこもり者は115万人（15～39歳は54万1000人、40～64歳は61万3000人）と推計され、その長期化や親の高齢化が問題になっています。また、40代～50代のひきこもり者を支える親が70代～80代にさしかかり、精神的・経済的に限界を迎えた、いわゆる「8050問題」が深刻化しています。親が現役で働き、収入がある間は、無収入の子どもを支えることが可能であるため、社会問題として顕在化することはありませんでした。しかし、親が定年退職を迎え、年金生活になってもなお子どもの面倒を見なければならず、生活が困窮し、親自身の高齢化で介護が必要になるなどして、問題が顕在化してきました。

これまで、ひきこもりは社会問題として直視されることなく、本人や家族のみの問題として取り扱われ、法制度の狭間でたらい回しにされてきたのです。そのようななかで、NPO法人ふらっとコミュニティでは2015年度より山口県宇部市と協働でひきこもり支援を開始。ひきこもりの長期化により希薄になった家族関係の回復が大切だと考え、支援の実績を積み重ねてきました。その第一段階が本書のベースとなっている「ひきこもり家族心理教育（基礎編）」であり、具体的には以下のような6回プログラムです。ここで、子どもの生きづらさの理解、これまでのコミュニケーションパターン、対応方法の原則を学びます。

第1回　ひきこもりのメカニズムや生きづらさを理解しよう
ひきこもりの特徴と定義、ひきこもりと関係の深い精神障害とその特徴、発達障害の行動特性、ひきこもりシステムなど

第2回　「対話」のあり方について理解しよう
オープンダイアローグ（開かれた対話）など

第3回　問題と感じる行動（暴力など）を振り返り、その対応方法を理解しよう
問題行動の機能分析、問題行動の理解、コミュニケーションの悪循環の理解、共依存関係、二重拘束、ロールプレイングなど

第4回　ポジティブコミュニケーション・好ましい行動を増やす方法を理解しよう
望ましい行動の機能分析、褒める、本人ができそうなことを依頼する

第5回　先回りをやめて、子どもとしっかり向き合う方法を理解しよう
先回りとは何かなど

第6回　これからの対応方法を一緒に考えよう（元ひきこもり者の話など）

精神科受診について、障害者総合支援法、障害者手帳、国民年金など

本書の1〜6章はこのプログラムの内容をベースにしており、7章ではプログラムの内容を家庭で実践するにあたって知っておいていただきたいことをまとめています。もちろん、書籍では家庭ごとに違う状況に合わせた具体的な助言ができない限界はありますが、お子さんの生きづらさを理解し、親御さんご自身がどう変わっていけばよいかを考えるうえで、参考になると考えています。

ふらっとコミュニティの家族会「陽の杜」の登録者は約100名で、家族心理教育（基礎編）と合わせて、家族心理教育（実践編）として月一回の振り返りと学びの場を提供すると同時に、危機的状況の際は必要に応じて個別面接も行っています。6年間で約300名のご家族や当事者を支援してきましたが、このような伴走型支援によって家族に変化が起こり、それが確実に子どもにも変化をもたらしています。そして現在では、家族支援は本人への居場所支援、社会参加支援へと広がりをみせています。2020年度の居場所通所者は延べ人数1639名、11名が就労につながりました。「働く」ありきではなく、家族や本人に寄り添う支援をしっかり行うことで、結果として居場所通所、さらに就労に結びつく結果も生まれているのです。

最後に、私は家族やひきこもり者と向き合うことで以下のような結論に達しました。問題解決を急かし、ひきこもり者とその家族を追い込むことがないよう、親の苦悩を理解し、寄り添い、当事者の生きづらさに向き合い、ともに揺れながらどうしたら良いかを考え歩いていく、そんな伴走をしていかなければ解決はしません。言葉にするのは容易いことですが、私たちはそんな支援を積み重ねることで、多くの方に笑顔を取り戻すことができました。氷のように凍った心は、温かい心でしか溶けません。人の心は、ありきたりの表面的な言葉ではなく、思いやる心でしか動かないのです。

本書は、こうした私の実践と思いが背景となって生まれたものです。どうか、最後までお読みいただければ幸いです。そして、できることから始めてみてください。

※編集部注

本改訂版においては参考文献の表記を中心とした修正を行っており、その他の内容は初版とほぼ同一となっております。

目次

序章

ふらっとコミュニティを訪れた4人のこれまで

第1章

ひきこもりのメカニズムや生きづらさを理解しよう

第2章

「対話」のあり方について理解しよう

第３章 問題と感じる行動（暴力など）を振り返り、その対応法を理解しよう

第４章 ポジティブコミュニケーション・好ましい行動を増やす方法を理解しよう

第5章

先回りをやめて、子どもとしっかり向き合う方法を理解しよう

第6章

これからの対応法を一緒に考えよう

※本書で紹介する事例は、すべて事実に基づきながらも、個人が特定されないように適宜改変されたものです。

序章

ふらっとコミュニティを訪れた4人のこれまで

ひきこもりに至る経緯は一人ひとり違い、さまざまな背景があります。ここでは、私がひきこもり支援を行うふらっとコミュニティを訪れた4名のケースをご紹介します。ご自身のお子さんの状況と似たところもあるかもしれません。それを意識しながら読んでみてください。

いじめに気づかなかった両親に「何もしてくれなかった」と怒鳴りつけ

タケオさん（男性・28歳）　両親と3人暮らし、ひきこもり歴13年

タケオさんは幼少期は気管支ぜんそくで病院通いが絶えませんでしたが、反抗期もなく、優しい子どもでした。しかし、中学2年生になると学校で陰湿ないじめを受け始めました。商業高校に進学したものの、そこでもいじめが始まり、学校を休みがちになりました。

しかし、タケオさんはいじめを受けていることを両親には黙っていました。お母さんも、表面上は大人しくて問題のないタケオさんのことを、あまり気遣っていなかったといいます。

そんなタケオさんが突然学校に行かなくなったのは、高1の3学期のことでした。慌てて理由を聞き出そうとする母親や、怒鳴りつける父親に、最初タケオさんは口をつぐんで一切何も答えなかったのですが、父親が腕をつかんで引っ張ってでも学校に行かせようとすると、その手を振り払って、手当たり次第にリビングにあるものを投げつけ始めました。タケオさんが初めて見せた異様な剣幕に茫然とする両親を前に、タケオさんはメチャクチャになった部屋の真ん中で両親を指差し、「お前たちはこれまで肝心な時に何もしてくれなかった！」と叫びました。母親が中学や高校の先生と同級生に問い合わせて、タケオさんに対して下着を脱がす、物を盗むなどの陰湿ないじめがあったのを知ったのは、そのあとのことでした。

その後、タケオさんは大声をあげて家の壁を殴る、ご飯を作って声をかけても食べずに部屋に閉じこもる、顔を合わせるとトイレに飛び込んで鍵をかけて出てこない、声をかけるとうるさいと激高して怒鳴る、といった調子で、両親はどうしたらいいか分からず途方に暮れました。

力で言うことを聞かせようとする父親との間では何度も取っ組み合いのケンカがありましたが、父親がタケオさんに殴られて全治２週間のケガをしてから、父親も力では敵わないことが分かり、力で言うことを聞かせようとしなくなった代わりに、会話も完全になくなりました。

高校は２年生の２学期に中退。その後はたまにコンビニに出かけるだけで、外の社会との接点はほとんどなく、髪やヒゲは伸びっぱなし。仙人のような風貌になり、声をかけてもうめき声のような返事しかしなくなりました。どうしても必要な用事がある時に、母親とだけは一言二言話すことはありますが、長い会話はありません。

ブラック企業での過酷な勤務に疲れ果て、実家に帰ってきたものの

ヒロシさん（男性・46歳）　両親と3人暮らし、ひきこもり歴13年

ヒロシさんは、幼稚園の頃はみんなが園庭で遊んでいる時に教室で一人で本を読んでいたり、運動会では反対方向に走りだしたりするなど、小さい頃から周囲と足並みを揃えられないところがありました。とはいえ中学、高校では友達も多く、特に問題となる行動もなく、1年浪人して大学に進学しました。

大学は県外だったので一人暮らしをしましたが、ときどき母親が様子を見に行くと、部屋は散らかっていて、ゴミもあまり出していないようでした。車の免許を取ろうと教習所に通いましたが、教官の態度が気に入らず途中で行くのをやめ、免許は取得できませんでした。

大学3年生になると就職活動を始め、数十社に応募したものの、就職氷河期だったこともあって内定が取れず、大学時代からバイトをしていたコンビニから正社員の誘いを受けたのでそのまま就職しました。

この頃もずっと一人暮らしで、両親とはほとんど連絡も途絶えていたのですが、後年判明したところによると、徹夜の連続勤務も当たり前のかなり過酷な労働環境で、ヒロシさんが慕っていた上司は過労で突然死してしまったとのことでした。さらに、ヒロシさんには大学時代から交際していた女性がいたのですが、社会人2年目にこの女性がうつ病で自殺してしまい、そのことでヒロシさんは大変なショックを受けていたそうです。それでもヒロシさんは真面目に働いて地域のリーダーになり、新店舗の立ち上げなどで忙しく働いていました。

ところが、33歳の時に突然仕事を辞めて実家に帰ってきました。その時には３００万円程度の貯金があったのですが、ヒロシさんは毎日のようにパチンコに行って、2年もたたないうちに使い果たしてしまいました。その後、ようやく再就職のための就職活動を始めたのですが、何社か書類で応募し、面接を受けたのち、「もうじき35歳だから、もう採用されない。就職はやめた」と言って、家に閉じこもる生活が始まりました。

現在は昼夜逆転して、夜中にはパソコンに向かってネットゲームをしたり、誰かと話したりしているようで、キーボードを激しく叩く音や、「そこだ！」「行け、やれ」「殺せ！」などの声が聞こえてくるそうです。食事の時は声をかけると部屋から出てきて、一緒に食べるのですが、そのうち話しかけても一切答えないようになりました。食べ終わったあとには食器を自分で洗い、すぐにまた部屋に閉じこもってしまいます。

事例3 不登校から立ち直れず、そのままひきこもりに

ヨウコさん（女性・23歳） 母親と祖母と姉の4人暮らし、ひきこもり歴7年

ヨウコさんは3歳の時に母親が父親と離婚。父親は別の女性と再婚して、しばらくは養育費が送られてきたものの、現在は交流も養育費の支払いもないといいます。母親は看護師として忙しく働き、夜勤も多く、ヨウコさんの身の回りの世話は、母方の祖母と、5歳年上の姉が主に担っていました。

祖母は昔気質でしつけに厳しい人でしたが、ヨウコさんは大人しい性格で、祖母や姉はヨウコさんを素直な性格だと思っていたそうです。通っていたピアノ教室や英語塾も、自分から行きたいと思ったのではなく、姉が行っていたので自分もなんとなく流れで通うようになったとのこと。小さい頃から格好いい男の子たちが登場するマンガやアニメが好きだったそうですが、観ていると祖母が「こんなものくだらない！」と本を取りあげたり、テレビを消したりするので、隠れて見ていたといいます。

中学までは仲のいい友達もいたのですが、高校受験で希望の学校に行けず、友達とも離れてしまい、進学した高校では友達ができなかったといいます。高校1年生の夏休みが終わり2学期が始まっても学校に行こうとせず、理由を聞くと、「クラスメートの輪に入れない。男子は乱暴で、いやらしいことを言ったりするから嫌い。女子校に行きたい」と言ったそうです。そこで母親は女子校への転校も検討しましたが、転入を受け入れてくれ、ヨウコさんの学力でも入れる女子校がなかなか見つからず、転校すること自体に祖母が反対したりしているうちに、結局、通信制高校に籍を置くことになりました。

この時、通信制高校からスクールカウンセラーがやってきて、発達障害の診断を受けることを勧め、思春期外来に行ったところ、広汎性発達障害だと言われました。しかし、祖母が「ヨウコは病気ではない。そんなのデタラメだ」と病院に通うことに反対し、結局通院はしませんでした。通信制高校も、「通信制なんてやっても意味がない」と祖母が言っているうちにヨウコさんも意欲を失い、課題を提出しないまま退学してしまいました。

その後はほとんど外出せず、スマホで好きなアイドルグループの動画を観て過ごしています。姉とはもともとは仲がよかったのですが、ヨウコさんがひきこもりになると、「どうして働かないの？」などと言うので避けるようになりました。今では家で会話をするのは母親だけで、祖母や姉から何か用事があると、母親が伝言役になっているそうです。

事例 4

ネット上で出会った男性との交際に両親困惑

サオリさん（女性・32歳）　両親と3人暮らし、ひきこもり歴10年

サオリさんは小さい頃から手がかからず、学校でも成績が良く、しっかりした子でした。ふらっとコミュニティの職員が両親と面接した時、父親は「サオリは小さい頃から読書が好きで、作家になりたいと言うので、本代は惜しみなく出して、かわいがってきた。厳しく叱りつけたことも、親の意志を押しつけたこともない。どうしてひきこもりになったのか分からず困惑している」とのことでした。父親はときどきサオリさんがノートに書いている小説をこっそり読んでは、「サオリは才能がある。作家になれる」などと言っていたそうです。

中学2年生になると、サオリさんは自分の体臭や口臭を異常に気にし始めて、「私臭くない？匂ってない？」としきりに母親に聞くようになり、「何も匂わないよ」と言っても信じようとしませんでした。その後、学校の人たちが自分の匂いを嫌がっていると言って3週間ほど学校に行かなくなったことがあったのですが、再び学校に行くようになると、「自分が匂っている」とは言わなくなりました。

大学は文学部に入学。本が好きなので、てっきり出版社への就職か図書館司書でも目指すのかと両親は思っていたそうなのですが、就職活動では出版社などは一切受けず、商社に事務職員として入社しました。しかし、電話を受けたり、発注を正確に処理したりすることができず、上司からたびたび叱責を受けるようになりました。次第に仕事で早さや正確さを求められるとパニック発作を起こすようになり、職場の人たちに嫌われていると言って、1年で退職しました。その後は何カ所かでバイトをしましたが、いずれも長続きしませんでした。

その後、サオリさんのしきりとスマホをいじっている姿が目につくようになりました。ある時、サオリさん名義の銀行口座の残高が減っていることに気づいた母親が問いただすと、「交際している男性がいて、その人の事業が正念場で、これが成功したら結婚するというので援助した」と言うので、母親は驚きました。

詳しく聞くと、「ネットで知り合ったが、真面目に結婚相手を探すサイトだから出会い系ではない。彼は遠方に住んでいるので直接会ったことはないが、ZOOMでは何度も話しているし、信頼できる人だ」と言うのです。母親は途方に暮れましたが、父親に相談すると、「サオリもいい年なんだから、恋愛の失敗の経験くらい一つはあったほうが大人になれるだろう。放っておけ」と言うので困惑していると言います。

いかがでしたか？　ひとくちにひきこもりといっても、多様なバリエーションがあり、全く同じようなケースは二つとないといっても過言ではありません。お子さんがもともともっている個性が、ひきこもりとしての状態にも一人ひとり違った姿を与えているのです。とはいえ、あらゆるお子さんに共通して通じる親の基本姿勢は存在します。それが、これから本書でご説明していく、ふらっとコミュニティで行っている「家族心理教育」です。これは、私が長年さまざまなひきこもりのご家族と接するなかでともに作りあげてきた方法で、膠着した親子関係を変化させる力をもっていると自負しています。

実際にふらっとコミュニティでは、この「家族心理教育」に参加することで、お子さんの状態が良い方向に変化したご家庭がたくさんあります。

これから、その内容がどのようなものなのか、具体的に見ていきましょう。４名のひきこもりの方々が、「家族心理教育」を受けた結果、どのように変化したかは、本書の終わりでご紹介します。

第1章

ひきこもりのメカニズムや生きづらさを理解しよう

ひきこもりとは何なのか まずはそこから理解しましょう

ひきこもりの定義

ひきこもりは病気ではなく、現象概念です。

厚生労働省は「様々な要因の結果として社会的参加を回避し、原則的には6ヵ月以上にわたって概ね家庭にとどまり続けている状態を指す現象概念」と定義しています。

「自室からほとんど出ない」「自室から出るが、家からは出ない」という人だけではなく、「近所のコンビニ等には出かける」「趣味の用事の時だけ外出する」という状態が半年以上続いている人も含みます。つまりひきこもりとは、外出ができるかどうかが基準ではなく、家族以外との関わりがない状態、または家族とすらもない状態のことを指しています。ひきこもり状態に陥る要因は、いじめや体罰、受験や就職活動の失敗、失業、病気などが挙げられます。コロナ禍における人に会わない生活や自粛なども心配です。

私はこれまでの研究から、ひきこもりを「さまざまな要因により社会や人と一時的に距離を取った結果、徐々に社会とのつながりがなくなり、家族以外の人、または家族とのコミュニケーションの機会が減ってしまった状態である。さらに、この状態が長期化することで自尊感情が低下し、対人関係能力の低下により社会参加が難しくなった状態である」と定義しています。「ひきこもり」は、長期化すると精神障害の症状や家庭内暴力などの問題行動が表れやすくなります。先ほど挙げた何らかの要因で社会と距離を置き、自宅での生活が始まった当初は、その状態は一時的なもので、エネルギーが溜まったら動き出そうと思っていたに違いありません。しかし、ひきこもりが長期化するにつれて体が重くなって動けなくなります。このままでは良くないという気持ちと、何をやってもうまくいかないという気持ちの葛藤や過去の傷つき体験から、自己否定や自己効力感の低下によって心が壊れそうな感覚となります。

私たちが普通にやってきた就職や結婚が、なぜこの子にはできないのか。それを理解するには、私たちが思う普通のことが、いかにお子さんにとって困難で、お子さんを追い詰めてきたたかを理解しなければなりません。そして、今の世の中が、昔と比べてはるかに生きづらい、規格から外れた人を排除する世の中になっていることも、知っておいたほうがいいでしょう。

ひきこもりの定義

※内閣府 平成30年度調査の調査項目より

1. 趣味の用事の時だけ外出する

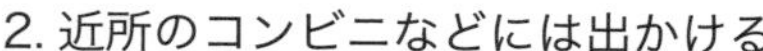

2. 近所のコンビニなどには出かける

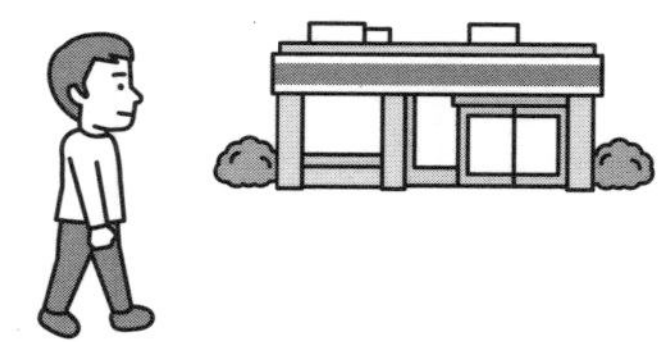

3. 自室からは出るが、家からは出ない

4. 自室からほとんど出ない

一番傷ついているのはお子さんです。激しい叱責で、傷ついてしまった心が開くことは絶対にありません。それどころか、叱責によってお子さんはますます頑なになり、氷のように心を閉ざしてしまいます。凍った心を溶かすには、まず私たちが相手の苦しみを思いやる心をもたなければなりません。そうしなければ、何ひとつ、言葉は届かないのです。そのためには、まずひきこもりについて正しく知ることが必要です。

「8050問題」が注目されるように

「ひきこもり」という言葉が一般的になったのは、精神科医で現在、筑波大学医学医療系社会精神保健学教授の斎藤環(たまき)氏が、1998年に『社会的ひきこもり　終わらない思春期』(PH

P新書）という本を出版したのがきっかけです。この本で、斎藤氏はひきこもりを「二十代後半までに問題化し、六カ月以上、自宅にひきこもって社会参加をしない状態が持続しており、ほかの精神障害がその第一の原因とは考えにくいもの」と定義しましたが、現在年齢の部分は定義から削除しています。この本が書かれた時と比べて、現在は大きく状況が変わり、中高年のひきこもりが注目されるようになったことが背景です。

２０１９年、内閣府は初めて40代以上のひきこもりに関する調査結果を発表し、40歳から64歳のひきこもりを61万3千人と推計しました。この数字は、２０１５年の調査で発表された15～39歳の若年ひきこもりの54万1千人を大幅に上回っています。これにより、80代の親が50代のひきこもりの子どもの面倒を見る「８０５０問題」が注目されるようになったのです。

数年前から、親の死体遺棄、母娘の餓死、無理心中、親子殺人など、ひきこもりに関連した事件が相次いで起こっています。これらはひきこもりの子どもを抱える家族への支援が行き届かず、親子ともに社会から孤立した状況に置かれてきたことの悲しい結末です。

２０１９年に起きた「川崎市の児童殺傷事件」や「農林水産省元事務次官の長男殺害事件」は記憶に新しいと思います。「ひきこもり」が、あたかも犯罪者予備軍であるかのような過熱報道がなされました。自立支援をうたい、親の同意のもと、ひきこもり本人を強引な手口で施設に入所させる「ひき出し業者」を肯定するような報道もありました。過去に、非行や情緒障害児に効果があるとマスコミで報じられ、のちに暴行による訓練生の死亡・行方不明事件が起こった「戸塚ヨットスクール」を彷彿とさせました。

ひきこもり者は怠けているわけでもなければ、弱い人間でもありません。本人の意思なく強制的に連れ出す行為や暴力的介入は、支援ではなく犯罪です。心の中に土足で入り込むような手口、サクセスストーリーのように切り取られた映像、その行為を容認するようなコメントは見るに堪えません。こうしたひき出し業者を出演させたマスコミもまた加害者です。

子どもが自立できるのであればどんな手口を使ってもかまわない、という考えは危険です。本人の同意なく施設に入所させる行為は「暴力」でしかありません。何の知識も資格もない人が、正義感をかざして「あなたのために」と押しつける支援も同様です。なぜ、こうした被害が後を絶たないのでしょうか。何もしてくれなかった行政、そこに「自分たちが解決する」と甘い言葉を餌にして現れたひき出し業者。家族にとってみれば、地獄のような毎日から解放してくれる、救世主に見えたに違いありません。

高齢化した親に残された時間は限られています。ほかの誰にも頼れない。子どもが自立してくれるなら、全財産をはたいても惜しくはないと思ったのかもしれません。巧みな言葉に騙さ

8050問題

80代の親が50代のひきこもりの子どもの面倒をみている

40～64歳のひきこもり者の推定数

広義のひきこもり群 61.3万人

準ひきこもり群 24.8万人

ふだんは家にいるが自分の趣味に関する用事の時だけ外出する

狭義のひきこもり群 27.4万人

ふだんは家にいるが近所のコンビニなどには出かける

9.1万人

自室からは出るが家からは出ない
または自室からほとんど出ない

出典：内閣府「長期化するひきこもりの実態」より

れ、そう思わされたのかもしれません。どちらにせよ、「自分に万一のことがあったら、残された子どもはどうなるのか」という不安を抱えている家族が、その弱みに付け込まれるのです。

それらの報道を聞き、心が痛みました。家族心理教育では、あえてその報道に触れることで家族の苦しみを吐き出してもらいました。「他人事ではない。自分たちも追い込まれたら正常な判断ができなくなるかもしれない」「世間の人はなぜ早くに相談しなかったのかと簡単に言うけど、相談しても分かってもらえなかった」「親亡き後、子どもが人様を傷つけるのではないかと不安」といった声が聞かれました。また、「自分も世間から事件を起こすのではないかと思われているのではないか」「本当はお前も俺を殺したいと思っているのだろう」と子どもから責められるという二重の苦しみを抱えておられました。まずは親も誰かとつながることが大切です。

ひきこもりという言葉が広まるきっかけを作った斎藤氏も繰り返し文献で「ひきこもりは関係性の病である。家族の関係性が変わらなければ治らない」との趣旨を述べています。だからこそ私は、家族の苦悩に向き合い、家族心理教育でともに学びあっているのです。

ひきこもりの子どもと家族の関係性を変えることはできる

ただ、ここで気をつけていただきたいのは、子どもがひきこもりになったのは親のせいだと、

必要以上に自分たちを責めないことです。ひきこもりになるのは、本人の性格やお子さんが歩んできた社会的な環境など、さまざまな要因が複合的に重なった結果であって、決して親御さんの育て方や教育が悪かったからなどという単純なものではないからです。

この本を手に取ってくださっている人のなかには、これまでにさまざまな講演会、ひきこもり家族教室、家族会に参加して、同じように苦しむ家族に出会ってきた方もいるでしょう。同じ悩みをもつ家族に出会うことで、気持ちが楽になったと言う方も多くおられます。

その一方、それらの会はあくまでも交流会であって学びの場ではないため、一時的に心は休まっても、家に帰れば子どもと親の関係に変化はなく、結局は膠着状態のまま数年が経過し、親も子どももただ年齢を重ね、いつまでも消えることのない苦しみと焦りを感じているのではないでしょうか。

放っておけばそのうち本人が危機感を抱いて、いつか外に出て働くようになるだろうという考えは、全くの誤りです。無視・無関心も暴力と同じで、追い詰められると自暴自棄になってしまいます。心のエネルギーが溜まらなければ動くことはありません。**ひきこもりは長期化するほど回復するのが困難になります。しかし、決して抜け出すのが不可能な状態ではありません。**苦しさの中でがんじがらめになり身動きが取れずに苦しい思いをしているのは本人です。

「親に申し訳ない。悪いのは自分だから親とけんかをしたくない」「誰からも理解されない」「社会の役に立てない自分には価値がない」と心を閉ざし、姿を見せなくなり、生きる力が落ちて動けなくなっていくのです。

- 厚生労働省はひきこもりを「さまざまな要因の結果として社会的参加を回避し、6か月以上にわたって概ね家庭にとどまり続けている状態を指す現象概念」と定義。
- 筆者は「さまざまな要因で社会や人と一時的に距離を取った結果、家族以外の人または家族とのコミュニケーションの機会が減ってしまった状態」と定義。
- 私たちが思う普通のことが、いかにお子さんにとって困難で、お子さんを追い詰めてきたかを理解する。
- 激しい叱責でお子さんの傷ついてしまった心が開くことは絶対にない。凍った心を溶かすには、まず親が相手の苦しみを思いやる心をもたなければならない。
- 子どもがひきこもりになったのは親のせいだと、必要以上に自分たちを責めない。
- ひきこもりは長期化するほど回復するのが困難。しかし、決して抜け出すのが不可能な状態ではない。

ひきこもりが起こる要因を解き明かすことが重要

対人関係の3つの領域

「なぜ」ひきこもりになったか、それを追究し始めてしまうと、終わりのない犯人探しに終始してしまうことが往々にしてあります。学生時代のいじめのせい？　子どもの時に十分にかわいがってあげなかったから？　それらはいずれも正しいかもしれませんし、的外れかもしれません。いずれにしろ、このような犯人探しは、自他への憎しみやうらみを増幅させるだけで、問題解決への糸口とはなりません。**ひきこもりという状況を変えたいのなら、やるべきはひきこもりという状態を起こしている構造的な関係を解き明かすことです。**そのヒントとなる考え方を、前述の斎藤氏は前掲書『社会的ひきこもり』の中で提唱しています。

斎藤氏は次ページで説明する「ひきこもりシステム」という考え方を提示しており、社会的ひきこもりの問題はすなわち対人関係の問題であり、その原因は3つの領域に分けて考えられると述べています。その3つとは「個人」「家族」「社会」で、ひきこもりの状態にある人は、この3つの間でなんらかの悪循環が生じているために長期化してしまっているのだと言うのです。

通常この3つは、次ページの図「通常システム」のように、個人と家族、個人と社会、家族と社会がそれぞれ相互に接点をもっている状態です。このような通常システムの関係では、個人は家族との関わりを保ち、個人は社会とつながり、家族も社会とつながっています。

しかし、ひきこもりの家族では、3つのシステムが相互に接点をもたず、関わり合えず、影響を与えない状態です。家族の中にひきこもりの子がいると、世間体を気にして隠したり、社会とは必要最低限の関わりになってしまうことも多いと思います。これを表したのが、次ページの「ひきこもりシステム」の図です。

ひきこもりの状態を固定化する悪循環

なぜひきこもりの人は家族とも社会とも接点をもたなくなるのでしょうか。ひきこもりの人は社会の中で挫折を経験しているがゆえに、周囲の目が気になり外出できなくなります。例えば、コンサートのような不特定多数の人が集まるところには行けても、スーパーなど自分を知

斎藤環氏による「ひきこもりシステム」模式図

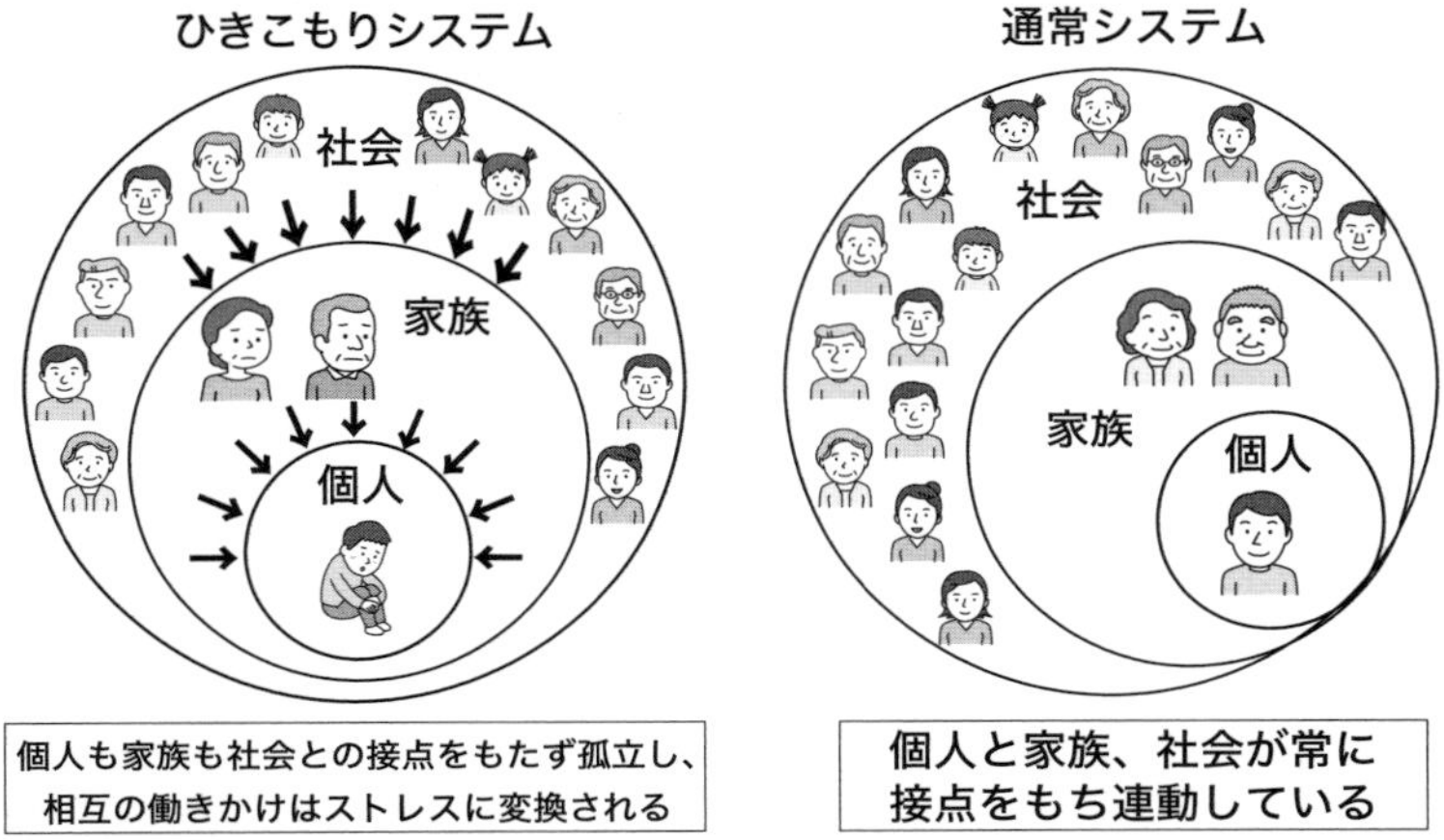

ひきこもりシステム

社会

家族

個人

個人も家族も社会との接点をもたず孤立し、相互の働きかけはストレスに変換される

通常システム

社会

家族

個人

個人と家族、社会が常に接点をもち連動している

参考文献：斎藤環『社会的ひきこもり』PHP 研究所、1998 年、p101

っている近所の人や友達に会う可能性があるところは特に恐怖を感じてしまいます。どう思われているかということを気にしたり、笑われているのではないかと被害妄想的になったり、声をかけられた時にどう答えたらいいか分からない不安があったりして動けないのです。

ここには、ひきこもりであることがその状態をいっそう固定化する要因になるという、悪循環があります。ひきこもり状態では、「個人」「家族」「社会」の3つの領域でなんらかの悪循環が生じ、そこから抜け出すことができなくなってしまっています。それが長期化することで常態化し、「個人と家族」「個人と社会」などの接点が切り離されてしまうのです。

斎藤氏は、この「ひきこもりシステム」では、

「システムは相互に交わらず連動することもなく、システム間相互に力は働くが、力を加えられたシステムの内部で力はストレスに変換されてしまい、ストレスは悪循環を助長する」と書いています。親による「いいかげんに働きなさい」「私たちが死んだらどうするんだ」といった声かけが、事態をよくするどころか、ますます悪化させてしまうのは、ここに原因があります。

切断されてしまったつながりを回復させるには

個人―家族―社会、それぞれのシステム相互のコミュニケーションが断絶した状態は、外部からシステムの作動そのものを変えるような介入がされない限り、膠着状態に陥り、長期化しやすいとされています。

よく、ひきこもりの家族に対し、「親が甘やかすからだ。家から放り出せば、目が覚めて働くようになる」というアドバイス（？）をする人がいます。親のほうも「家から追い出しさえすれば、生活（お金）に困って、そのうち働くのではないか」と、親のお金でアパートを借りてまで一人暮らしをさせるケースがあります。しかし、このような対処法は往々にしていい結果を生みません。家を出された子どもは、社会との接点を回復するどころか、社会とますます断絶し、家族とも切り離されたために、孤立無援の状態になります。部屋は荒れ放題になって食

個人の孤立と家族関係の回復

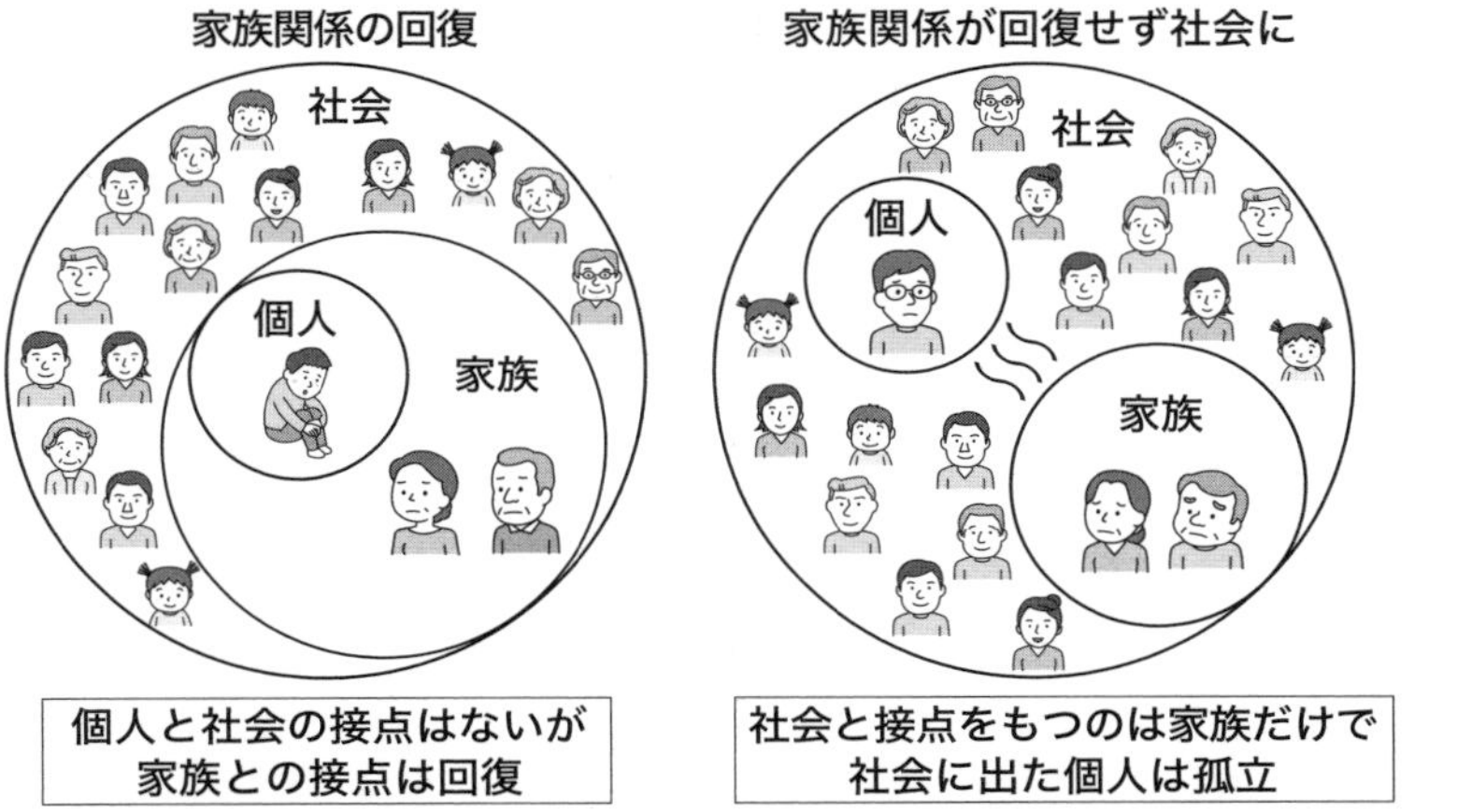

家族関係の回復

個人と社会の接点はないが
家族との接点は回復

家族関係が回復せず社会に

社会と接点をもつのは家族だけで
社会に出た個人は孤立

参考文献：斎藤環 前掲書、p131　※右図については斎藤氏の考えを参考に著者が作成

事もまともにとらなくなり、場合によっては「孤独死」になってしまう危険性すらあります。

これを斎藤氏の考えを参考に図で表すと、上の図「家族関係が回復せず社会に」のようになります。家族は社会と接点を保っているものの、そのつながりはいびつなものとなり、肝心の個人は社会とも家族ともつながらず、孤立しています。

例えばこのようなことがありました。県外で働いていた息子が仕事を辞めて家に帰ってきました。しばらくしたら働くと息子は言っていたのですが、そうしているうちに数年が経過しました。求人広告の多くは30代までのために親は焦り、顔を合わせれば「そろそろ働いたらどうか」と息子に話すようになったところ、息子は口をきかなくなってしまいました。そこで親は、生活に困ったら働くのではないかと考え、「当面の生活費をサポートするから、一人暮らしをしてバイトでも始めたらどうか」と提案したところ、息子は承諾し、一人暮らしを始めました。それで親は安堵していたのですが、数か月後にアパートを訪れたところ、餓死寸前となっていたのです。

子どもを家から出すことで、本人は「家族から見捨てられた」と感じてしまい、その後の家族関係の悪化も懸念されます。家族とのコミュニケーションがますます取れなくなることで、家族自身の働きかけや第三者の介入がさらに難しくなってしまいます。

高齢化で子どもを支えられなくなる

最悪なのは、個人も家族もともに社会と接点をもたなくなり、完全に孤立してしまうケースです。もはや個人、家族、社会のどれもが一つとして接点をもっていません。親はひきこもりの子どもがいることを恥だと考え、近所や親戚にも隠そうとして、家族自体が社会との関わりを拒み、誰にも相談しないまま高齢化して親子で共倒れしてしまいます。なかには親が死亡したのち、どうしたらいいか分からずに遺体を放置していた子どもが、死体遺棄容疑で逮捕されるケースも出ています。

親が年金生活になると、生活にかけられるお金も少なくなります。次第に親が高齢化し、やがて亡くなった時に訪れるのは、社会から完全に孤立し、取り残されたお子さんが一人、家の中に残された状態です。そうならないために目指すべきは「働かせる」ではなく、誰かとつながることです。そのためには、37ページの「家族関係の回復」の図のように、**まず家族関係を回復することです。子どもを社会につなげようとするより前に、まず親と子どものつながりを取り戻す**のです。

まずは親と子で会話ができる、一緒のテーブルで食事ができるなど、関係性が断絶した状態から、つながりが回復した状態になることを目指していきましょう。

ここがポイント

- ひきこもりという状況を変えたいのなら、やるべきは犯人探しではなく、ひきこもりという状態を起こしている構造的な関係を解き明かすこと。
- 子どもを社会につなげようとするより前に、まず親と子どものつながりを取り戻し、家族関係を回復する。

ひきこもりと関係の深い精神障害

ひきこもりと精神障害・発達障害

ひきこもりの初期には、過敏性大腸炎や頭痛などの心身症、気分の落ち込み、不安、猜疑心、対人不安、不眠などの適応障害の症状が多く出現します。また、就労の失敗などの挫折体験から他人の目に敏感になり、社交不安障害やうつ状態になることもあります。あるいは、長期化によって二次的に社会生活を避ける「回避性パーソナリティ障害」や被害妄想を抱く「妄想性パーソナリティ障害」として固定化することや統合失調症などの精神障害を伴っている場合もあります。つまり、**ひきこもり状態から二次的にさまざまな精神症状が生じたり、ひきこもり状態が、潜在する基礎疾患のカムフラージュになっている可能性もあります。**精神障害と何らかの関連があることが多いといえるでしょう。

また、発達障害との関連も重要です。「グレーゾーン」の方を含めれば、**ふらっとコミュニティに相談に訪れたひきこもりの人の多くに自閉スペクトラム症（ASD＝社会的なコミュニケーションが苦手、興味の対象が偏るなどの特性がある）の傾向があり、**自身が生きづらさを感じているにもかかわらず、誰からも理解をしてもらえずに苦しみ続けている人の存在が多いのです。なお、これはあくまで私の関わる範囲で見られる傾向であり、「ひきこもり＝発達障害」という意味ではないことにご留意ください。長期ひきこもりで生じる「独り言」や「思い出し笑い」「家庭内暴力」「妄想」などの状態は、自閉スペクトラム症と統合失調症の両方に共通する点が多く、誤診される場合もあります。また、自閉スペクトラム症がベースにあり、二次的に統合失調症を発症する場合もあります。

自閉スペクトラム症は、本人にも周囲の人にも「気づかれにくく、見えない障害」です。そのため、それらの特徴は一般の人から見ると、その人の性格や個性に属するものとしか思えず、本人も周囲も「頑張れば何とか克服できるもの、できないのは本人の努力不足」と考えてしまいがちなのです。しかし、この生きづらさは決して薬で治ることはありません。叱咤激励は本人を追い詰めてしまうことになります。

誤解してほしくないのは、精神科受診ありきということではありません。「それぞれの障害特

ひきこもりと関係の深い精神障害と発達障害

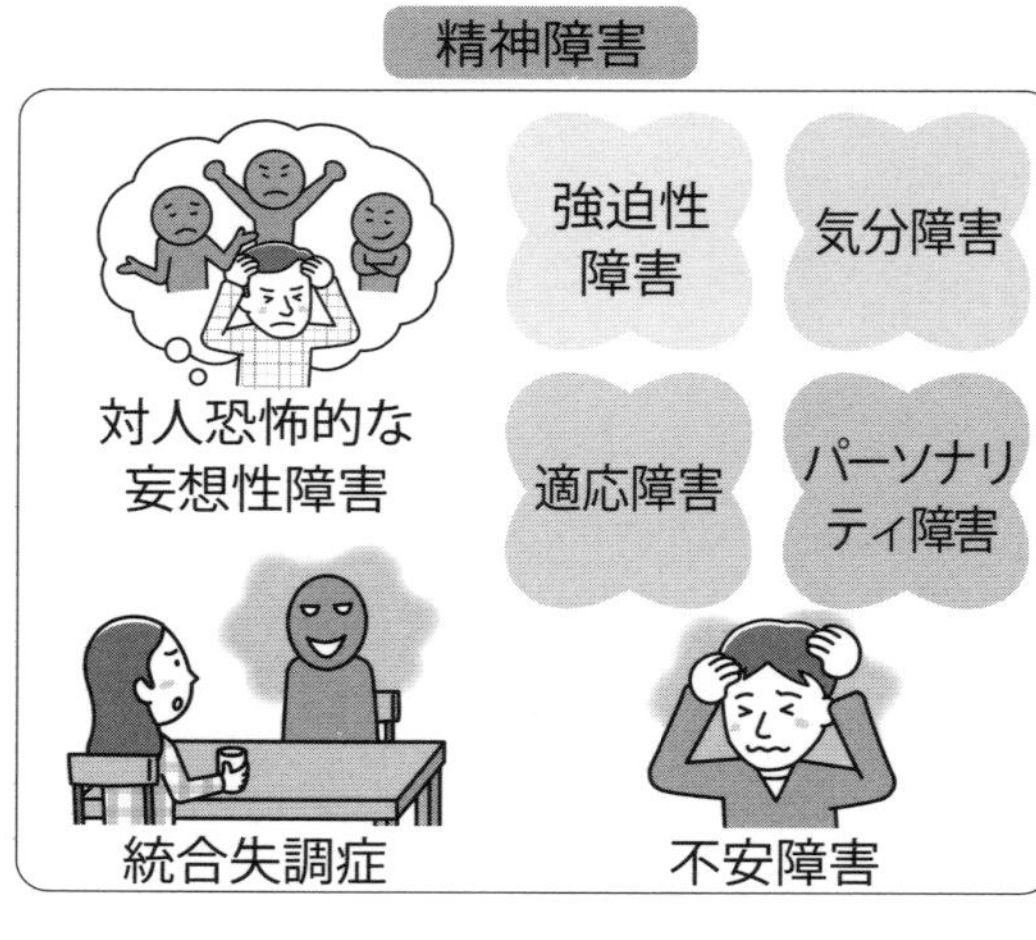

性」を知ることで「どのような生きづらさがあるのか」を理解し、ひきこもらざるを得なかった本人の苦悩に寄り添うことができるようになるということです。

体の病気と違って、精神障害は見た目が普通であり、どのように感じて苦しいのかなどは、本人でしか分かりません。まずは「病気」と決めつけずに、関わりながら観察し、対話をしながら苦悩を理解していくことが大切です。

ひきこもりに関係する精神障害

ひきこもりと深い関連性があるとされる精神障害として、強迫性障害を含む不安症や身体表現性障害、適応障害、パーソナリティ障害、統合失調症などが挙げられます。また、ひきこもりの長期化によって、先ほども述べた「回避性パーソナリティ障害」や「妄想性パーソナリティ障害」、統合失調症などの精神障害が現れる場合もあります。

ひきこもりは状態像です。「誰かにいつも見張られている（注察妄想）」「悪口が聞こえる（幻聴）」「気分が沈み、足に鉛がついたようで動けない（うつ状態）」といったことが原因で外出できなくなったとすれば、精神障害の可能性があり、この場合は治療が必要です。

しかし、これらは本人の内的世界で起きている現象のため、理解は難しいと言えます。それを正確に判断するには、ひきこもりと関係の深い精神障害の種類を正しく知ることが必要です。一つずつ見ていきましょう。

◇適応障害

生活上のストレスや生活の変化によって不安、緊張、苦悩などが現れ、社会的な行動が正常に行えなくなっている状態です。かつて皇太子妃（現・皇后）の雅子さまも、適応障害と診断されたことがありました。いじめなどの出来事を契機に不安や抑うつ気分が出現し、不登校・ひきこもりに至ることがあります。その場合、ひきこもることによって直接いじめられることはなくなっても、気分障害や不安障害などが生じてひきこもりが長期化することがあります。

適応障害

- 生活上のストレスや生活の変化によって、社会的な行動が正常に行えない状態。
- いじめをきっかけに不登校・ひきこもりが長期化し、適応障害になることも。

◇不安症(不安障害)

不安や恐怖によって社会的な生活に支障が出ている状態です。不安症には、社交不安症や全般不安症、パニック症など、さまざまな種類があります。挫折や失敗を恐れるあまりに緊張が強くなる全般不安症は、しばしば不登校やひきこもりの原因になります。突然強い動悸、息切れ、不安などに襲われるパニック症が電車の中で起こると、再発を恐れて通学、通勤ができなくなったり、教室で起こることを恐れて不登校のきっかけになったりします。

不安症(不安障害)

- 不安や恐怖によって社会的な生活に支障が出ている状態。
- 社交不安障害や全般不安症、パニック症など、さまざまな種類がある。

◇気分障害

気分や感情が病的に変化する障害の総称です。一番多いのは、一般的にうつ病と言われる、うつ病性障害です。うつ病は、興味や喜びの減退、不眠、疲れやすさ、思考力の減退などの症状が現れ、しばしばひきこもりのきっかけになります。うつ病性障害のなかでも、2年以上にわたり慢性的な軽うつ状態が続く特徴がある気分変調症は、ひきこもりとの親和性がより高い障害とされています。

ここで注意すべきなのは、うつ状態が改善しても、ひきこもり状態は続くことがあることです。また、うつ状態と躁状態を繰り返す双極性障害もあります。うつ状態のように見えながら、ときおり急に怒りだしたり、インターネットでたくさん買物をしたりする場合は、双極性障害の場合もあります。この場合、うつ病の薬では症状が悪化するケースがあり、注意が必要です。

気分障害

- 気分や感情が病的に変化する障害の総称で、一番多いのはうつ病性障害。
- うつ病は、興味や喜びの減退、不眠、疲れやすさ、思考力の減退などの症状が現れる。

◇強迫症(強迫性障害)

自分でも不合理だと分かっていながら、ある物事への強い思い込みやこだわりのために、生活に支障が出ている状態です。不潔だと感じて手を洗い続けたり、部屋の中の物を特定の配置にピッタリ揃えないと気がすまないなど、さまざまなタイプがあります。強迫症状が進むとそれに縛られて日常生活がスムーズにできなくなり、母親を巻き込んで退行、すなわち子ども返りのような状態になり、ひきこもり状態となることがあります。

強迫症（強迫性障害）

● 自分で不合理だと分かっていながら、物事への強い思い込みやこだわりのために、生活に支障が出ている状態。

◇パーソナリティ障害

周囲との軋轢を引き起こす人格の偏りのことで、病気と考えるのか、人格と考えるのかで議論が続いてきました。不登校・ひきこもりが生じる前からパーソナリティ障害の傾向があり、そのために社会的活動や他人との関係性を避けようとして不登校・ひきこもりになる場合があります。また、ひきこもりを長年続けることで、空虚感、孤立感などが増幅され、パーソナリティ障害を引き起こすケースもあり、どちらが原因でどちらが結果なのか、判別が難しいケースもあります。

パーソナリティ障害

- 周囲との軋轢を引き起こす人格の偏りのこと。
- ひきこもりを長年続けることで、パーソナリティ障害を引き起こすケースもある。

◇統合失調症

幻聴を含む幻覚、妄想、不安などにより通常の生活が困難になる病気です。かつては精神分裂病と呼ばれていましたが、２００２年に現在の病名に変更になりました。

統合失調症の患者は、「狙われている」「盗聴されている」などの被害妄想を強くもつことがあります。統合失調症による幻覚、妄想などの強い症状を陽性症状、意欲の低下といった消極的な症状を陰性症状といいます。陽性症状から来る警戒心がひきこもりのきっかけになることもあれば、陰性症状によって外出の頻度が低下したり、人と交流しなくなったりして、ひきこもり状態になることもあります。

統合失調症

- 幻聴を含む幻覚、妄想、不安などによりさまざまな障害が出る。
- 幻覚などの強い症状を陽性症状、意欲の低下といった消極的な症状を陰性症状という。

◇対人恐怖的な妄想性障害

自らの容貌が醜いと思い込んで人前に出られなくなる醜形恐怖、自分が臭いと思い込む自己臭恐怖、自分の視線が他人に不快感を与えているのではないかと考える自己視線恐怖など、さまざまな種類があります。また、選択性緘黙（かんもく）といって、学校など特定の場面で一切口を開かないという症状があります。幼い頃から幼稚園や学校で口を閉ざしていた子どもが、徐々に学校に行かなくなり家にひきこもる、あるいは高校卒業後に進路を決めないまま家庭にとどまりひきこもりとなるケースがあります。

対人恐怖的な妄想性障害

● 自分が醜いと思い込み人前に出られなくなる醜形恐怖、自分が臭いと思い込む自己臭恐怖、自分の視線が他人に不快感を与えていると考える自己視線恐怖などがある。

ひきこもりの人が精神科を受診すると、これらのうちいずれかの診断が下りることがよくありますが、大事なのは、病名にとらわれすぎないことです。特に注意が必要なのが、統合失調症との見分けです。長期のひきこもりによって生じる独り言や思い出し笑い、妄想などは、統合失調症と診断される場合がありますが、それは単に自閉スペクトラム症の特性から来るもので、統合失調症は誤診である、ということが少なくありません。

精神障害は見た目は普通であり、どのように感じて苦しいかは、本人にしか分かりません。まずは「病気」と決めつけずに、関わりを保ちながら、本人の気持ちを理解していきましょう。

これらの精神障害のほか、ひきこもりと関連性のある発達障害として、前述した自閉スペクトラム症（ＡＳＤ）や、不注意、衝動性、多動が特徴の注意欠如・多動症（ＡＤＨＤ）、ＩＱ70未満の知的障害やＩＱ70～84の境界知能、特定の学習能力に困難をきたす限局性学習症（学習障害）などが挙げられます。これらの発達障害については、次項で詳しく説明していきます。

ここがポイント

- ひきこもり状態を理解するには、関連する精神障害の理解も大切。
- 自閉スペクトラム症など、発達障害との関連性も重要。
- 「病気」と決めつけず、関わりを保ちながら本人の気持ちを理解していく。

いわゆる「大人の発達障害」を理解する

ひきこもりと発達障害

発達障害とは、生まれつきの脳の特性のために周囲の環境に適応できない状態のことです。これは障害というより個性ととらえることもでき、アインシュタインやエジソン、スティーブ・ジョブズなど、多くの偉人たちも発達障害だったと言われています。発達障害にはいくつかの種類があり、そのなかで自閉スペクトラム症は、社会的なコミュニケーションがうまくできなかったり、興味や活動の偏りがあったりするために、社会の中で不適応を起こしてしまう状態を指します。

ひきこもりと自閉スペクトラム症の関連は稀ではなく、各都道府県に設置されている精神保健の相談窓口である精神保健福祉センターでのひきこもり相談来談者の調査では、全体の30％

超が発達障害と診断されたという報告もあります。ひきこもり状態に陥る原因には、いじめや体罰、受験や就職活動の失敗、失業、病気などさまざまなものがありますが、その詳細を分析してみると、自閉スペクトラム症の特性をもっていることが、それらを引き起こしていることが多いのです。

「大人の発達障害」を理解するためのカテゴリー分け

誰にでも得意なことや苦手なことがあります。そのうち、**認知（知覚・理解・記憶・推論・問題解決などの知的活動）の能力の高い部分と低い部分の差が大きい人のことを発達凸凹といいます。**差があまりなければ「得意」「不得意」、差が大きいと凸は「才能」、凹は「障害」ととらえられる場合もあります。つまり、日常生活に困難が生じているか否かによって「障害」または「個性」の範疇で表現されるので、それを踏まえて、精神科医の杉山登志郎氏は著書『発達障害のいま』（講談社）の中で、この発達凸凹に適応障害が加算されることで発達障害になるといっています。

子どもの頃に発達凸凹を見過ごされて大人になった人たちは、成育の段階で特性に合った対処や理解を得られず、否定や失敗の経験を積み重ねて現在に至っています。その結果として、多

それぞれの発達障害の特性

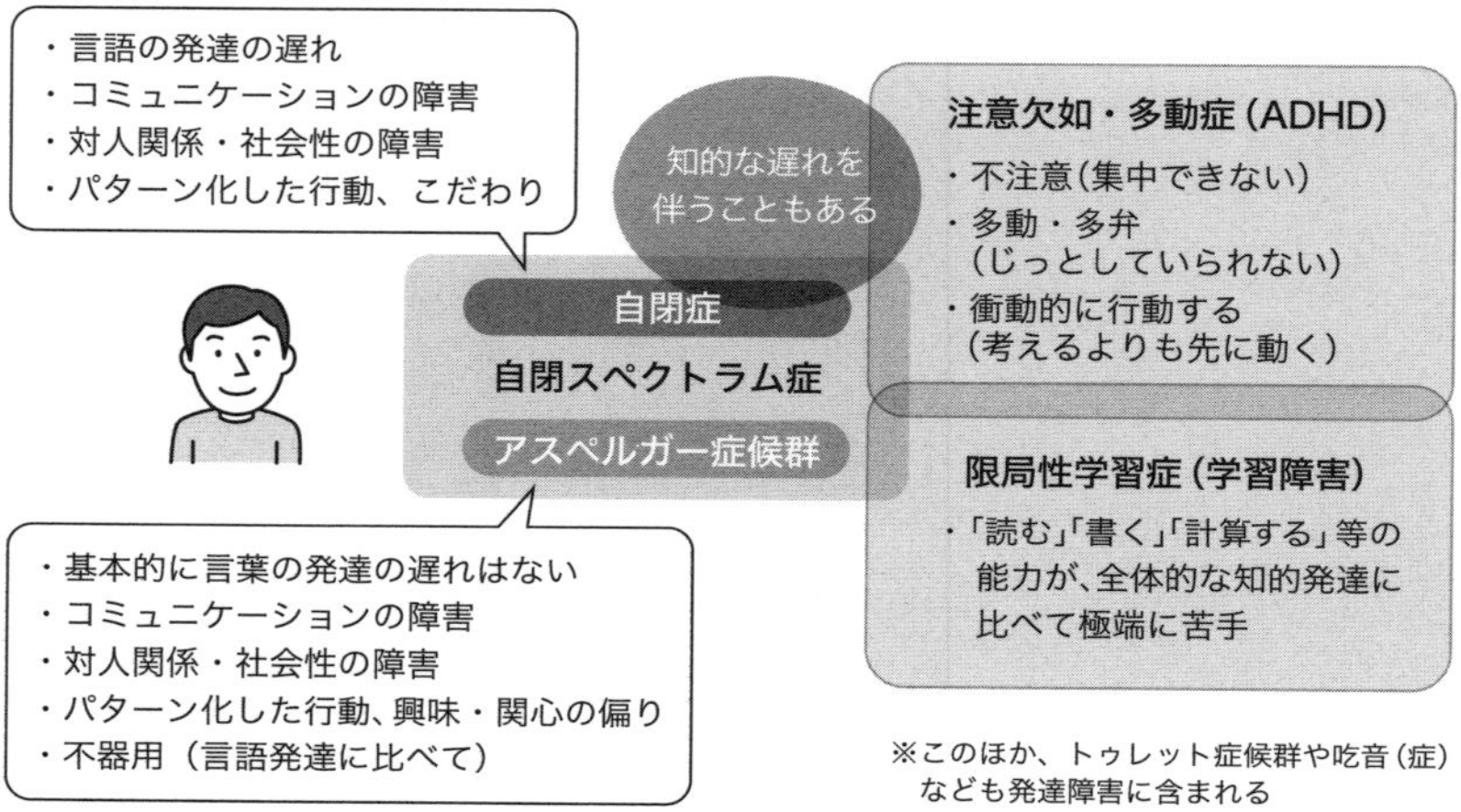

・言語の発達の遅れ
・コミュニケーションの障害
・対人関係・社会性の障害
・パターン化した行動、こだわり
知的な遅れを伴うこともある
自閉症
自閉スペクトラム症
アスペルガー症候群
・基本的に言葉の発達の遅れはない
・コミュニケーションの障害
・対人関係・社会性の障害
・パターン化した行動、興味・関心の偏り
・不器用（言語発達に比べて）
注意欠如・多動症（ADHD）
・不注意（集中できない）
・多動・多弁（じっとしていられない）
・衝動的に行動する（考えるよりも先に動く）
限局性学習症（学習障害）
・「読む」「書く」「計算する」等の能力が、全体的な知的発達に比べて極端に苦手

※このほか、トゥレット症候群や吃音（症）なども発達障害に含まれる

くの人が自尊心低下などにより二次的に発症する併存症（うつ病、不安障害など）などの問題を抱え、大人になって社会適応が難しくなります。逆に、個人の発達特性を適切に理解し、環境調整ができれば、発達凸凹が社会的個性として生かされる場合もあるのです。

◇自閉スペクトラム症（ＡＳＤ）

「人間関係が苦手」「失敗が多い」「仕事が続かない」など職場での適応が難しいといった要因の一つに自閉スペクトラム症の傾向があります。

何回も離職を繰り返し、「もう一生分頑張った。どんなに努力しても皆と同じようにはできない」と宣言してひきこもった自閉スペクトラム症の人がいます。このように挫折体験の繰り

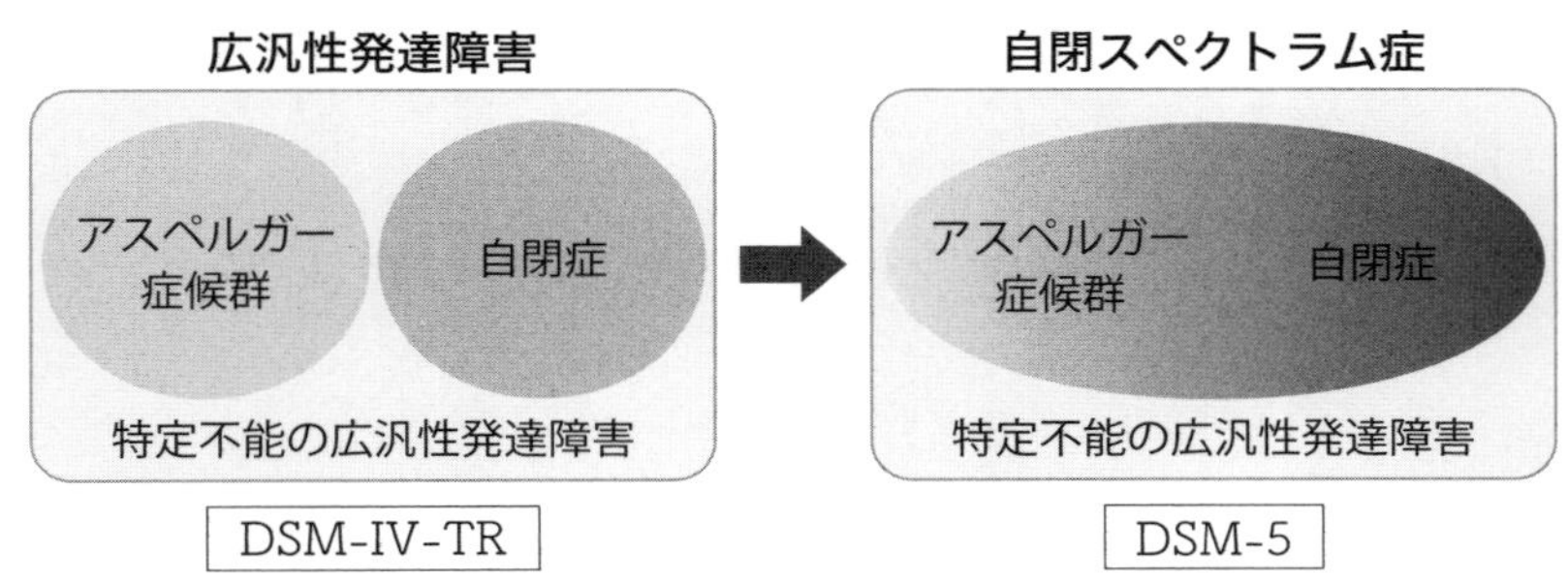

「連続体」を意味する「スペクトラム」という言葉を用いて、**障害と障害の間に明確な境界線を設けない**、虹の色が連続して変わるように、特性の出方が人によって強く出たり弱く出たりしているというとらえ方になりました。

※広汎性発達障害は、このほかに小児崩壊性障害・レット症候群を含む。
このうち小児崩壊性障害は、自閉症スペクトラム症にも含まれている。

返しの結果、精根尽き果て、働く気力や生きる力を失っていくのです。就労できるようになるには、発達特性を踏まえた適切な就労支援が大きな課題となってきます。

これまでは、広汎性発達障害という大きなグループの中に「自閉症」や「アスペルガー症候群」などが含まれていました。しかし、２０１３年に公表されたＤＳＭ－５（アメリカ精神医学会の診断基準）では、細かい分類をなくし「自閉スペクトラム症」という大きなくくりになりました。「連続体」を意味する「スペクトラム」という言葉を用いて障害と障害の間に明確な境界線を設けず、虹の色が連続して変わるように、特性の出方が人によって強く出たり、弱く出たりするというとらえ方になりました。「対人関係・社会性の障害」「コミュニケーションの障害」「イマジネーションの障害（こだわり・パターン化された行動・変化を嫌う）」の３つが共通することを核としています。

◇自閉症（ＡＤ）

前述の３つの特徴のほか、知的障害が伴うことが多く、会話によるコミュニケーションが難しいか、できないことも見られます。

◇アスペルガー症候群（ＡＳＰ）

３つの特徴は共通です。知能は正常もしくは高く、言動能力に優れ会話が可能ですが、言葉の裏にある相手の気持ちを汲み取ることができず、言われた言葉をその言葉どおりに受けとってしまいます。

場の雰囲気を読むこと、他人に気を使うこと、人の顔色を読むことが苦手で、冗談や慣用句、友情や愛情を理解できません。また、物事に優先順位が付けられず、同時に2つのことができない、幼少時から強迫観念を認めることが多いといったこともあります。

◇注意欠如・多動症（ADHD）

不注意、衝動性、多動が特徴で、落ち着きがなく、じっとしていることができません。興味をもったものには集中できますが、そうでないものには注意力が続きません。自己管理ができず、時間や金銭の管理、片付けが苦手で、忘れ物が多いです。

また、頭に浮かんだことを即座に行動に移す、失言が多い、感情のコントロールが苦手ですぐに感情的になる、行き当たりばったりの行動が目立つ、子どもの頃の嫌な思い出ばかりが心に残ってしまうといったこともあります。

◇限局性学習症（学習障害：LD）

「読む」「書く」「計算する」「推論する」「聞く」「話す」の基本的な学習能力のうち、特定の能力に困難があります。文字をスラスラ読めない、変なところで区切る、濁音が発音できないなどの読字障害や、字が正しく書けなかったり左右逆文字や鏡文字を書いてしまう書字障害、計算や推論が苦手な算数障害などが挙げられます。

◇発達性言語障害（言語性ＬＤ）

人の話を最後まで聞けない、雑音の中で会話に注意を向けることができない、音を言葉としてとらえられない、などといった症状が挙げられます。

◇発達性協調運動症（ＤＣＤ）

体のバランスが悪いため良い姿勢が取れない、よく転んだり体をぶつけたりする、緻密な動作ができず粗雑な動作になる、箸やはさみが使えない、書類を整理できないなどといった症状が挙げられます。

個性なのか障害なのかの分かれ目

発達の凸凹の差が大きい人たちは、脳の働き方に偏りがあり、脳の中に高性能の働きをするところと、あまりうまく動かないところがあります。差があまりなければ、「得意なことと不得意なことがある」くらいで済むのですが、差が大きいと、できない部分については「障害」ととられることもあります。具体的には以下のような特徴があります。

○心の理論の障害

「心の理論」とは他者の考えを考えることのできる能力であり、さらに他者が自分の考えをどう考えるかについて考える能力を指し、それらがうまくできない。

(例) 相手の神経を逆なでするようなことをやってしまい反発される。

○実行機能の障害

自分の行為を計画、実行、監視、修正する心理機能が脆弱である。

(例) 仕事で正確さとスピードを同時に求められると全く対応ができない。

○全体覚知の困難さ（状況判断の困難さ）

部分全体との関係をとらえることが困難であり、優先順位を付けることができない。

(例) 上司は「全体（森）」の話をしているのに「部分（木）」にこだわり話がかみ合わない。

○フラッシュバック

過去の経験とその時の感情があたかも今起こったかのように感じられ、それに合わせて行動する。

(例) 突然、何年も前の話を持ち出してきて「あの時、こう言った」「あの時、やってくれなかった」と親を激しく責める。

○二分法的思考・評価（all or nothing）の強さ

「勝つか負けるか」「相手が自分より上か下か」という二分法的評価や権威主義的な傾向がある。

（例） ゲームに勝つまで没頭し、勝てないとゲーム機を壊してしまうこともある。

○周囲からは理解されにくい独特の論理的思考

独特の論理のために周囲とトラブルになりやすい。

（例）「俺がこうなったのは、全てあいつのせいだ」と他者を責める。

○感覚過敏

五感から受けとる刺激を過剰に強く感じてしまう状態。

（例） 聴覚（苦手な音がある、会話の声と周囲の雑音が同じくらいに聞こえてしまい、集中できない）、視覚（晴れていると、まぶしくて目を開けていられない、一度に入ってくる文字情報が多いと混乱する）、触覚（衣類の繊維が気になる、握手ができない）、嗅覚（洗剤や化粧品などの匂いが気になり電車に乗れない）、味覚（独特な食感や舌触りの食べ物が苦手）などがある。

発達凸凹

○その他

2つのことを一度にできない（電話で話しながらメモを取れない）、予定の変更ができない（急な残業やアクシデントに対応できない）、スケジュール管理ができない（忘れ物が多い）、整理整頓ができない（物が捨てられずゴミ屋敷化する）、興味の偏りが著しい（興味のあることをいつまでも喋る）など。

このような特徴が個性なのか障害なのかの分かれ目は、**日常生活に困難が生じているかによるとも言えます。**芸術家やフリーランスなど、自分の得意なことを活かせ、多少不得意なことがあっても大目に見られる環境で仕事ができる場合は問題ありません。しかし、同じ人が、ほかの社員たちと同じ能力を持つことが求められる会社に就職すると、不適応を起こして障害とされてしまいます。また、「人間関係」に難しさを感じ、ひきこもってしまうことも少なくありません。

知っておきたいのは、**子どもの頃に発達凸凹を見過ごされて大人になった人たちは、成育環境において特性に合った対処や理解を得られず、否定や失敗の経験を積み重ねて現在に至っているということです。**それにより、社会適応がいっそう難しくなるケースも往々にしてあります。

親御さんに求められるのは、こうした発達特性を踏まえたコミュニケーションです。

ここがポイント

- 認知（知覚・理解・記憶・推論・問題解決などの知的活動）の能力の高い部分と低い部分の差が大きい人のことを発達凸凹という。
- 個性なのか障害なのかの分かれ目は、日常生活に困難が生じているかによる。
- 子どもの頃に発達凸凹を見過ごされた人たちは、成育過程で特性に合った対処や理解を得られず、否定や失敗の経験を積み重ねて現在に至っている。

5 ひきこもりがなぜ長期化するのか

いい結果を生まない親御さんの声かけ

「いつまでもそんなふうにひきこもっていてどうするの?」

「お父さんやお母さんだって、いつまでも元気でいるわけではないんだぞ」

「バイトでもいいから、どこかに働きに行ってくれないか」

そんな言葉を何十回かけただろうか、という親御さんもいることでしょう。

叱責、小言、懇願、攻撃、距離を置く、尻拭い……。そういった、親としてできる行動は、おそらくすべてやり尽くしたのではないかと思います。そして、それを言うたびに、「うるさい!」と激高されたり、あるいはいっそう部屋に閉じこもって一言も口をきかなくなったり……。

そういった声かけがいい結果を生まないことは、もう経験から分かっているのに、ほかにど

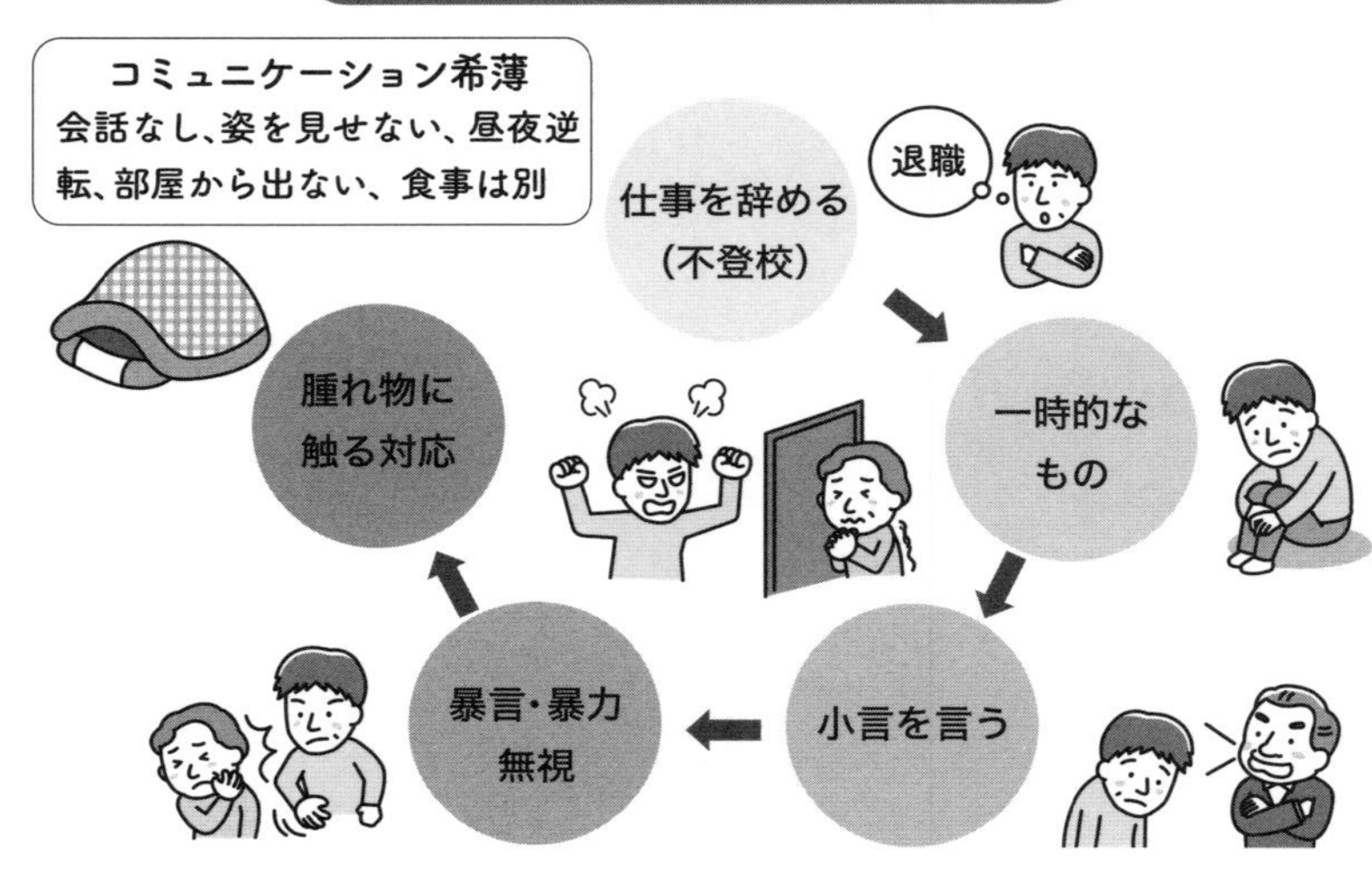

うしたらいいか分からないから、延々とそれを繰り返すしかなかったのだと思います。

ひきこもっているお子さんは、そういった親御さんの声かけに対して何も感じていないわけではありません。親御さんの言葉がつらくて、それに対してどう答えていいか分からないから、よりいっそう部屋の中に閉じこもっていくのです。ひきこもり生活を送って、一番つらい思いをしているのはお子さんだということを、どうか理解してほしいのです。

「こんな子どもで申しわけない」

私がこれまで相談時に聞いてきた、ひきこもり当事者の声をいくつか紹介します。

「自分の苦しさをお父さん、お母さんは分かってくれない。親なのになぜ分からないのか」

「普通の人はちゃんと会社に行って働いている、というけど、〝普通〟って何なのか自分には分からない」

「ひきこもりが長くなると、自分はダメな人間だという自己否定が頭の中で止まらなくなり、ネガティブな考えしか浮かばなくなる」

「親と話をしなくなるのは、自分が一番悪いことが分かっているから。親に対して何も言うことができないから。こんな子どもで申しわけない気持ちがあるし、親とけんかはしたくない」

「人の思っていることを敏感に感じ取りやすく、先走って相手の気持ちをいろいろと考えすぎてしまう。そうするとエネルギーを使いすぎて起き上がることもできなくなってしまう」

「『死にたい』『殺してくれ』と言ってしまうことがあるけど、それは言葉だけで本当にそう思っているわけではない。むしろ生きたい、普通になりたいという気持ちがあるのに、どうしたらいいか分からないから、そういう言葉になってしまう」

このようなお子さんの気持ちが分からないから、親の言葉と子どもの気持ちはいつまでもすれ違ってしまうのです。

お子さんのこんな気持ちが分かっていますか？

“普通”って何？
ネガティブな考えしか
浮かばなくなる
お父さんお母さんは
分かってくれない
相手の気持ちを
考えすぎてしまう
本当は普通に
なりたいんだ
こんな子供で
申しわけない

氷のように凍ってしまった心は温かい心でしか溶けない

ひきこもっている人は怠けているわけではありません。生きる力が落ちている人のところにいきなりやってきて、こちらの都合で何かをさせようとすることは、心の中に土足で踏み込む行為です。強引な手口で家から引っぱり出し、表面的に回復したように見えたとしても、心の傷が回復することは決してありません。生きづらさを抱えた人の行動には必ず意味があり、それを理解しないかぎり解決の方向に向かうことはありません。だからこそ「対話」をし、本人の内的世界の理解をするしかないのです。

しかし相談時には、子どもは昼夜逆転し、親と顔を合わせることがほとんどない、食事も別、会話も親から一方的、本人からの要求はLINE（ライン）のみ、話しかけても返事がないといったことが多く、対話が成り立たないなどと言われます。場合によっては自室から出てこない、もう何年も子どもの姿を見ていない、生活音もしないため生きているのか死んでいるのかも分からない、といったことも少なくありません。

ひきこもり家族教室や家族会で「諦めずに声をかけましょう」と教わるものの、声をかけても返事がないつらさに耐えきれず、うつ状態となる場合もあります。反応がないと「無視」「拒絶」ととらえてしまい、そのつらさから逃れるため、次第に声かけをしなくなってしまいます。

親自身が子どもを理解しようという姿勢がないままに声をかけても反応はありません。しかし、子どもの生きづらさを理解したうえで、苦しいのは自分たちだけではなく子どももそうなのだと気づき、親の気持ちの押しつけではなく思いやる声かけをすることによって、子どもは反応し始めます。人の気持ちに敏感で傷つきやすい彼らは、こうした親の心の変化もまた敏感に感じ取ります。氷のように凍ってしまった心は、温かい心でしか溶けることはないのです。

親が問題意識をもつのが難しくなる理由

ひきこもりは、依存症と同様に「否認」の病理がその基本にあります。親は子どもがひきこもっているという事実を直視できず、「うちの子はひきこもりではない。その気になれば今の状態から抜け出せる」と過小評価してしまい、その結果、外部に相談するのが遅れてしまいます。

ひきこもりの本人と家族の関係は、共依存的になりやすいことが分かっています。今はそうでなくても、共依存的になりやすいことを意識し、そうなっていないか見つめ直す必要があります。共依存の関係をもってしまっている人は、相手から依存されることに無意識のうちに自己の存在価値を見いだし、そして相手をコントロールして自分の望む行動を取らせることで、自身の心の平安を保とうとします。ひきこもりの親、特に母親と、ひきこもり本人のそのような関係は、一言で言うと「愛情という名の支配」です。

ひきこもりの子どもは、経済的にだけでなく、心情的にも親に依存していることが多く、その一方で特に母親は、子どもに対して「この子がこうなったのは、母親である自分のせいだ」という負い目を感じるがあまりに、「ダメな我が子の面倒を見る母親」という役割に、自分自身が依存してしまいます。

例えば、外出しない息子のために、本人が好きな食べ物を用意しておこうと、お菓子が途切れないように買って置いておく。「親はいつまでも生きているわけじゃないのよ」と言っていたのが、次第に「あなたは私がいないと生きていけないわよね」となり、ますます子どもの生活すべての面倒を見るようになる。その結果、今の状態から脱却しなくてはいけないという問題意識をもつことが難しくなってしまうのです。

親子関係の実態と正面から向き合う

ひきこもりのお子さんに対しては、どのようなアプローチをすることが正解なのでしょうか。ひきこもっているお子さんのなかには、「頑張って何かを乗り越える」ということができなくなっている人がいます。それは、度重なる失敗や長期にわたるひきこもりのために経験が不足し、深刻な自信喪失によって自己否定に陥り、自分の力で現状を良くできるという自己効力感が低下してしまっているからです。

ここで「気合いで何とかしろ！」などといった根性論をお子さんに強いると、かえって関係を悪化させてしまいます。**大事なのは「できないこと」ではなく、「今できること」に焦点を当てることであり、本人が本来もっている力（ストレングス）を見いだし、その力を引き出す「ストレングスアプローチ」なのです。**そして、お子さんのひきこもりの背景にはどのような生きづらさがあるのか、ということに注意し、発達障害等の特性を理解したうえで、今のお子さんでもできることは何かを考慮したうえでの働きかけをすることです。

お子さんの本質、親子関係の実態と正面から向き合うというのはつらい作業です。しかし、これまで顔を見れば小言や叱責しかしてこなかった親御さんが、お子さんの気持ちを理解した声かけができるようになると、お子さんの表情もそれまでの頑なな拒絶から、だんだん柔らかいものに変わってくるのです。私はそうした例をたくさん見聞きしてきました。閉じていたお子さんの部屋のドアが開くようになり、親の声かけに返事をするようになります。そういうプロセスを経ることで、親との会話が復活し、外出するようになったお子さんがたくさんいます。**親が変わればお子さんも変わる**のです。

ここがポイント

- 子どもは親の声かけに対して何も感じていないわけではなく、親の言葉がつらく、それに対してどう答えていいか分からないから、いっそう部屋の中に閉じこもる。
- ひきこもりの本人と家族の関係は、共依存的になりやすい。
- 大事なのは「今できること」に焦点を当てることで、本人が本来もっている力を見いだし、その力を引き出す「ストレングスアプローチ」が重要になってくる。
- 親が変われば子どもも変わる。

第2章

「対話」のあり方について理解しよう

1 これまで子どもにかけてきた言葉を考えてみる

聞く耳をもたなかったお子さんのせい？

この本を読んでいる、ひきこもりのお子さんをもつお父さん、お母さん、お子さんと最近どのような会話をしましたか？　一例を挙げてみます。今日こそはきちんと話をしよう。そう心に決めて、いつも冷蔵庫から食べ物を取り出すとすぐいなくなってしまうお子さんに、「待ちなさい。ちょっと話をしよう」と声をかける。そして、なんとかテーブルに向かい合って座ることができたとしましょう（そんなふうに声をかけても無視されるのが関の山だという人もいるかもしれませんが）。

「もうお前も40歳だ。これからのことをどう考えているんだ？　大学を出て就職した会社でつらいことがあったのは分かるが、いつまでもこんな生活をしているわけにはいかないだろう」

とお父さんが話せば、お母さんも、

「小学校の時によく遊んでいた○○くん。彼も大学をやめたあとは2、3年ブラブラしたり、家でゲームばかりしていたらしいけど、それからは料理人の修行をして、今度自分の店も出したのよ。今からでも何かにチャレンジすれば、仕事をもつこともできるんじゃないかしら」

お子さんにこのように呼びかけてみても、よくて何も答えずに部屋に引っ込んでしまうか、悪ければ激高して、家のものを投げつけたり、怒鳴りつけたりしてくる。こうして、今回もなんの進展もなかったと、ため息をつく……。どうでしょう、似たような経験はありませんか？

さて、ここでお聞きしたいのは、話が進展しなかったのは聞く耳をもたなかったお子さんのせいだ、と考えてはいないかということです。そんなのは当然、子どもが悪いに決まっていると考える人が、もしこの本を読んでいる人のなかにいたとしたら、私はそのような人にこうお伝えしたいです。これは対話ではないと。本章の目的は対話とは何かを知っていただくことですが、その前に、何が対話ではないのかから話を始めたいと思います。

「質問」ではなく「尋問」になっている会話

親御さんに「ひきこもりの子どもと対話をしていますか？」と問いかけると、「対話しています」という答えが返ってきます。しかし、本当にそうでしょうか。対話の際に「自分の考えは正しくて相手が間違っている」「何とかして考えを改めてもらおう」という考えがあったとしたら、それは「議論」や「説得」でしかありません。また、「あなたは一体どうしたいの？」といった責める姿勢が見え隠れする質問は「尋問」でしかなく、子どもは否定された気持ちになってしまいます。

本来の対話は、個人を尊重しなければなりません。**ひきこもり者は「困った人」ではなく「困っている人」です。**何に困っているのか、どうしてほしいのかの答えは本人にしか分かりません。だからこそ対話なしに解決することはないのです。そのことを考えるために、次のケースを読んでみてください。

ケース❶

【広汎性発達障害＋統合失調症の40代男性のケース】

男性は、ある日、私たちが運営している「居場所」に突然現れました。緊張のあまり声が出ず、幻聴に怯えて玄関先にたたずんでいました。Tシャツから見える腕には何百か所ものリストカットの傷があり、自傷行為の末に、何かを求めてたどり着いたのだと感じま

パンクを直してほしいと言っているのに…

した。

周囲を見渡し、立ち止まり、怯えるような表情で体をすくめる、いわゆる幻覚妄想状態です。建物の中に案内し、ソファーに座ってもらった後、あなたを理解したいこと、どんな幻聴があるのか、困っていることを聴かせてほしいと伝えました。すると、彼は少しずつ話し始めました。

「僕は、車のタイヤがパンクしているので診てほしいと医者に言う。でも、パンクした所を探すことなくいきなり空気を入れ始める。もちろん空気は入らない。今度は、どこがおかしいのか診てみましょうとあちこちのネジを外し始める。散々いじって、治らないのはあなたのせいだと言われる。僕が悪いのですか？　今、31錠も薬（抗精神病薬）を飲んでいるけど、全く良くならない。僕は幻聴があって苦しい。でも、理解されないことのほうがもっと苦しい」

約1時間話したあとで、彼は笑顔を取り戻し、ここにまた来たいと言って帰宅しました。後に、3歳の頃から親に虐待を受けていたこと、学校では先生に「どうしてあなたは皆と同じにできないの？」と怒られていたこと、先生が連絡帳に「親からも注意をしてほしい」と書いたため虐待が続いたことなどを話してくれました。

今もなおフラッシュバックに悩まされ、自尊感情の低下によって人との関わりが苦手なのだと言います。今では「理解してくれる人がいること、居場所があることで楽になれた。幻聴に振り回されることが減った」と話しています。

“対話”のあるべき姿とは

いかがでしたか？　男性が病院に通いながらも「自分の話を全く聞いてもらえなかった」という話を聞いてもらうだけで、笑顔が戻ったことを感じとっていただけましたでしょうか。対話とはこういうことなのです。対話をしていくうえでは、自分の考え方はもしかしたら間違っ

ているかもしれないと考え、もし相手の言うことに分があれば、お互いの考えをすり合わせて一致できるポイントを見つけようと努力していかなければなりません。親自身が「何が正しいか」「何が世間の常識か」「人間とはこうあるべき」という、既成の考えにがんじがらめになってこだわっていては、コミュニケーションは一方的なものとなり、そこに〝対話〟は成立しないのです。

そこで行われるのは、親が子どもを説得しようとする〝力の行使〟であり、最初から結論が定められている、いわばゴールが変わらない押しつけの作業なのです。どちらかが屈服し、説得されることが目的となり、親は自分が屈服するつもりはない以上、必然的に子どもを説き伏せようとします。それは、いくら優しい口調で語りかけようとも、その構図が変わらない以上、そうなのです。

こういった議論では、親は子どもの非を追及することになり、話がかみ合うことは決してありません。このように結論が先行しているのであれば、子どもが何を言おうとも親は考えを変えないのですから、子どもとしては壁に向かって何を話しても無駄なのと一緒で、最初から話す気持ちが湧いてこないのです。

本来、対話とはそういうものではありません。**対話とはお互いが歩み寄るものであり、そこでは、たとえ相手が自分の子どもであっても、個人は尊重されなければならない**のです。

ここがポイント

- ひきこもり者は「困った人」ではなく「困っている人」である。
- 親が既成の考えにがんじがらめになってこだわっていては、コミュニケーションは一方的なものとなり、そこに〝対話〟は成立しない。
- 対話とはお互いが歩み寄るものであり、そこでは、たとえ相手が自分の子どもであっても、個人は尊重されなければならない。

2 「開かれた対話」という意味のオープンダイアローグに学ぶ

親が押しつけている「こうあるべき」という議論

ひきこもりのお子さんをもつ親御さんと話していると、本来の意味での対話ができていない、またはお子さんと対話をした経験すらほとんどない、という人がとても多いことに気づかされます。自分でも意識しないうちに、親は子どもよりも立場が上なのだから、親にとって子どもは何かを命じる対象であるという関係性が身についていて、同じ目線に立つことができないのです。

これは父親に限ったことではありません。お母さん方のなかには「私はいつも子どもに優しく接しているから、上から目線になっていることなんてあり得ない」と思っている人もいるかもしれません。しかし、いくら優しい口調で話しかけていても、例えば「ご飯はここに置いておきますからね」「甘いものばかり食べていると体に悪いわよ」といった一見なんでもない声かけでも、それが母親から子どもへの一方的な押しつけになっていることは十分にありうるのです。そこに、子どもの「今はご飯を食べたくない」「僕は甘いものが好きなんだ」という気持ちに対する配慮や、そこへの歩み寄りが全くないとしたら、それはやはり親の「こうあるべき」を押しつける議論であり、説得になってしまっているのです。

子どもが小さい頃からずっとこの上下関係のやりとりを続けてきた両親にとって、子どもと対等に対話をするということは、実はとても難しいことなのです。

北欧の国・フィンランドで生まれた精神療法

では、子どもと対話をして、家族全体の再生の足がかりにするにはどうしたらいいか。そのヒントとして、「オープンダイアローグ」という、いま注目されている精神療法の技法を紹介しましょう。

オープンダイアローグとは「開かれた対話」という意味で、1980年代にフィンランドの西ラップランド地方にあるケロプダス病院で始まり、**統合失調症の治療に大きな成果を挙げたことで世界中で注目されるようになった精神療法**のことです。これは、精神病院であるケロプ

オープンダイアローグとは

オープンダイアローグ（Open Dialogue）とは「開かれた対話」という意味
1980年にフィンランドの西ラップランド地方にあるケロプダス病院で、ヤーコ・セイックラ教授により始められた
治療対象は、最重度の統合失調症を含むあらゆる精神障害をもつ人
相談依頼を受けると、24時間以内に治療チームが招集され、初回ミーティングが行われる
西ラップランド地方では、統合失調症患者の入院治療期間が平均19日短縮。療法に服薬を必要とした患者は35%
ミーティングでは、参加者の間に上下関係はない。治療に関するあらゆる決定は、本人を含む全員の出席のもとで行われる

参考文献：斎藤環『オープンダイアローグとは何か』医学書院、2015年、p19-24

ダス病院に勤務する、家族療法を専門とする臨床心理士であったユバスキュラ大学教授のヤーコ・セイックラ氏が、同病院で行ってきたものが原型になっています。

前章でも紹介した筑波大学教授の斎藤環氏がこのオープンダイアローグを日本に紹介しており、その著書『オープンダイアローグとは何か』（医学書院）で、その優れた効果のデータも紹介しています。それによると、フィンランドの西ラップランド地方では、この治療法を導入したところ、統合失調症の入院期間は平均19日間短縮され、服薬を必要とした患者は全体の35％だったというのです。統合失調症という病気の治療には必ず薬を使わなければならないと考えられていたので、対話のみの治療法がこれほど

の効果を発揮したという事実は、多くの医師や研究者を驚かせました。

WHOが注目し、世界各国で導入が進む

日本では「患者」というレッテルを貼られて医師から一方的に治療法を決められてしまう人が、オープンダイアローグの枠組みでは、医療者と対等の人間として、そして「患者」ではなく「何らかの事情で苦悩している人」としてとらえられ、「クライアント」として扱われます。

クライアントまたはその家族から相談の電話が入ると、その電話を受けた医療スタッフが責任をもって治療チームを編成し、24時間以内に自宅を訪問して初回のミーティングを行います。そこでは、医師の指導を仰ぐという上下関係ではなく、職種の壁を取り払ったチームで、クライアントの危機が去るまでミーティングが毎日続けられます。

治療は病院ではなくセラピストチームが自宅を訪問して行うことが多く、家族や親戚と一緒にセラピストを受け入れたほうが、クライアントのストレスも軽減されます。この治療では、クライアント、家族、関係者を交えてミーティングを開き、対等に意見を述べ合います。一回のミーティングは90分程度で、家族とともに専門家チームとの対話を重ねることで、治療が難しい統合失調症のクライアントでさえ危機的状況を抜け出すことができ、快方に向かうというも

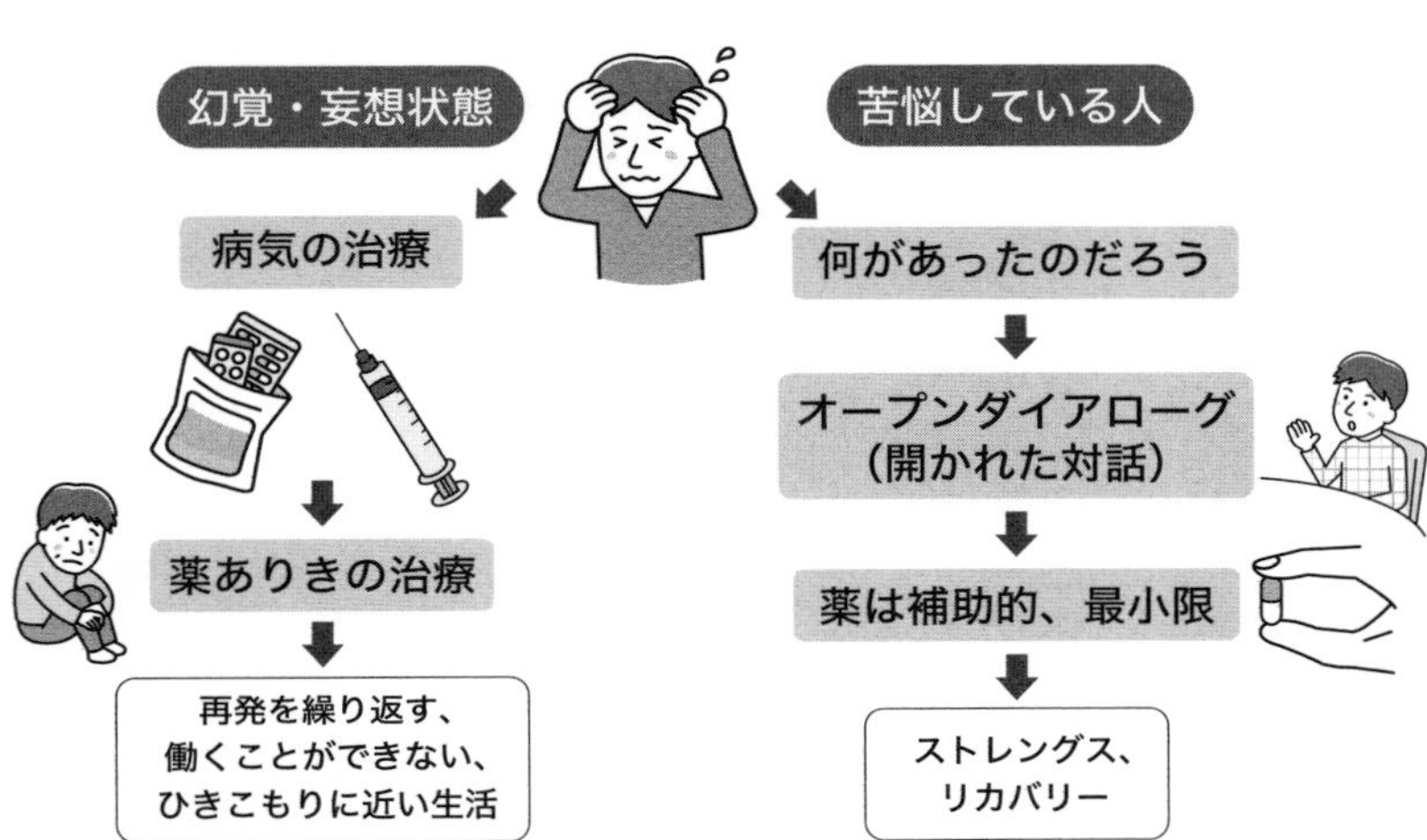

のです。**入院、治療、支援方針などに関する決定は、すべて本人がいる対話の場で決められます。**薬物療法や入院は極力避けられ、必要な場合においてもクライアントを含めたミーティングで決定されます。

異なる視点がつながることを重要視

オープンダイアローグの特徴は、医師に限らず誰でも実践できる方法で、薬物や入院などの強制的処遇を減らせることです。「妄想」はその人の思考や感情、つまりモノローグであり、そこからどんどん考えが膨らんでいきます。以前は、患者の妄想に対しては否定も肯定もしない、根掘り葉掘り聞かないという対応方法がよいとされてきました。なぜなら、こちらから妄想について尋ねることで、患者はさらに妄想を膨らませてしまう可能性があるからです。

しかし、実際にはこの状態から抜け出すには周囲との対話しかありません。例えば、妄想を語るクライアントに対し、「私たちには想像がつかないので、分かるように説明してもらえませんか？」と語りかけます。すると、クライアントは自分の体験を理解してもらおうと一生懸命に説明をします。その話に関心をもち、応じていく「双方向的な対話」を重ねることが、症状の改善につながるのです。「妄想」という得体のしれない怪物を否定して攻撃するのではなく、その状態を対話の場に出してもらうことで、クライアントの変容が始まるのだと思います。

対話では、「合意」や「結論」に達することが目的ではなく、顔を合わせているメンバー相互の異なる視点がつながることが重要視されます。語られる妄想を頭ごなしに否定したり、発言を遮断したりはしません。

〝ひきこもりの専門家〟として話を聞く

統合失調症などの精神障害に対するアプローチとして始まったオープンダイアローグですが、これがひきこもりの人の状況改善にも大きな効果を発揮することが、徐々に実証されています。「全国ひきこもり当事者連合会」が発行し、ひきこもりについての情報発信をしている『ひき

こもり新聞』の2017年7月号には、実際に斎藤氏がひきこもりの人に対するオープンダイアローグを適用した最初のケースとなった当事者の手記が掲載されています。

オープンダイアローグのミーティングでは
モノローグ(独り言)ではなくダイアローグ(対話)の形で進めていく

この当事者は、オープンダイアローグでは自由な発言が許されたために、説得や議論されていた時とは違い、自分自身に変化を起こせるのに十分な時間と機会が与えられたと感じたそうです。専門家から意見を押しつけられることもなく、自分を「ひきこもりを経験した、ひきこもりの専門家」として扱って丁寧に話を聞いてくれたからこそ、ここは安心して発言できる空間だと感じることができたというのです。

この人は、結論がすでに決まっている「説得」では、ひきこもりの当事者は何を語ってもただの独り言を話しているようにしか感じないと書いています。これを読んでいる親御さんも、お子さんに話しかける時、意識的にせよ無意識的にせよ、最初から自分の望む結論を頭の中で用意してから話し始めていませんか？

ひきこもりについて一番詳しく、ひきこもりのことをよく分かっているのは、ほかならぬひきこもりの当事者であるお子さんです。専門家であるお子さんの見識に耳を傾けるつもりで、先入観なく謙虚な気持ちでその話を聞いてみてはいかがでしょうか。

ここがポイント

- オープンダイアローグは、統合失調症の治療に大きな成果を挙げたことで世界中で注目されるようになった精神療法。
- 当事者は医療者と対等の人間として、「患者」ではなく「何らかの事情で苦悩している人」としてとらえられ、「クライアント」として扱われる。
- 入院、治療、支援方針などに関する決定は、すべて本人がいる対話の場で決められる。

3 本人の声に耳を傾ける対話によって子どもを支援していく

結論を求めない会話を試みる

では、ここから対話とは何かという話を始めたいと思います。繰り返しますが、「対話」の目的は議論することではありません。お互いの違いを認め、共通する接点を見つけることが目指すべきところです。親は子どもに話しかける時、つい結論や方針を出すことを急ぎがちですが、大事なのは、ひきこもらざるを得なかった子どもとともに、時間をかけて信頼関係を醸成していくことなのです。

自分の子どもだと思うから、自分の思いどおりに言い聞かせなければいけないと考えてしまう。十年も二十年も、ひきこもりの子どもと対話をしようとしてうまくいかなかったという人は、そもそも自分がしていたのが対話だったのかどうか、よく考える必要があります。そして、今後は同じ過ちを繰り返さないためにも、これからは親戚の子どもを預かっているつもりの距離感で、頭も尻尾もない、つまり結論を求めない会話を試みてはいかがでしょうか。

そもそも、思春期に親子関係がここまでこじれた主な原因は、この対話の不足や欠如から来ていることが多いのです。議論、説得、尋問、アドバイス、叱咤激励。これらはすべて対話ではなく、〝独り言〟にすぎません。親が子どもの言い分を聞き入れるつもりは最初からなく、一方的に自分の主張を押しつけようとしているだけです。

「いつまでそうしているの？」という言葉も、質問の形をとっているだけで、その本質は尋問です。「あなたはいったいどうしたいの？」といった本質を突く質問も、質問を装った批判でしかありません。

対話の目的は「対話を続けること」

お子さんと話す時には、「外出させたい」「仕事につかせたい」という下心は脇において、本人の言葉に耳を傾けることが大切です。基本姿勢は相手に対する「肯定的態度」です。肯定とは「そのままでいい」ということでもありますが、それ以上に「あなたのことをもっと知りたい」という関心を表明することです。ただ純粋に相手の話を聞きたい、お子さんが見ている世

質問のつもりが尋問や批判に

いつまで
こんな生活を
するつもりだ？
お前ももう40歳だ。
働くつもりはないのか？
毎日ゲームばかり
していて飽きないの？
将来を考えたほうが
いいんじゃないか？
全然外に出ないで
体は大丈夫？
なにかに
チャレンジ
してみたら？
早くこの子を
就職させ
ないと…

界、生きている世界がどんなものなのかを知りたいという、ただそれだけの気持ちを素直に示せばいいのです。大事なのは、そこにおいて「ひきこもりから抜け出させたい」という下心をもたないことなのです。

対話の目的は「対話を続けること」であり、それ以上でもそれ以下でもありません。対話とは、相手を変えることでも、何かを決めることでも、結論を出すことでもないのです。

まずは、対話によって信頼関係を構築することから始めましょう。信頼関係がなければ、苦しさ、つらさ、将来についての話などできません。対話とは、相手を知りたいという純粋な気持ちを積み重ねていくことなのです。私がNPO法人ふらっとコミュニティで開いている家族心理教育で一番重点を置いて伝えているのも、この対話についてです。

フラットな社会を目指して

ＮＰＯ法人ふらっとコミュニティは街中にあり、以前は産婦人科の病院だった建物を借りて運営しています。建物は大きな一軒家のような造りですが、かつては1階が病院の外来、2階が入院施設、そして3階が院長先生のお住まいとして使われていました。いろいろな人が出入りしていたと同時に、家庭的なエリアもあった建物なので、多くの人を受け入れながらプライベートな雰囲気も保てるという、まさに私たちの活動にふさわしい建物です。

リビングはとても広くて、皆さんが集まれますし、10人規模の勉強会が開ける部屋もあります。また、個別の面接をしたり、一人になりたい人が横になれたりする部屋もあるので、人のなかに長時間いるのが苦手、という人でも安心して過ごせるようになっています。女性の参加者のなかには男性が苦手という人もいるので、女子会も月に3回ほど開いています。

「ふらっとコミュニティ」という名称は、「ふれあい、らしさ、つながり、ともに」の4つの言葉の最初の文字をとったもので、フラット（＝平ら）なコミュニティ（＝地域社会）、つまり平らな地域社会をイメージして名づけました。フラットという言葉は段差のない家屋環境を表

ふらっとコミュニティの施設

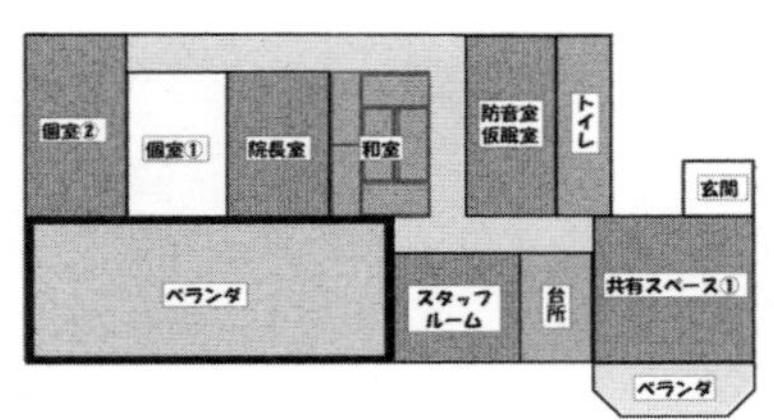

防音室・仮眠室

個室（和室）

共有スペース

す時などによく使われますが、私はこの言葉で、段差がない、つまり障害となるものがないということをイメージしています。というのも、一度社会のレールから外れた人が再び世の中に出ようとすると、そこにはさまざまな障害が待ち構えているのが、今の日本の社会だからです。

履歴書に空白の期間があると、「この期間は何をしていたの？」と聞かれて面接が不利になりますし、ひきこもりを経験したということが、その人へのスティグマ（烙印）となり、もともとあった生きづらさを余計に強めてしまいます。一度レールを外れた人が生きにくい社会は、今はかろうじて頑張れている人にとっても、ちょっと息切れしたらつまはじきにされてしまう、居心地の悪い社会なのではないかと思います。

この社会が、障害がある人もない人も同じ位置に立てるようなフラットな社会になってほしい。偏見のない、お互いに支え合うことのできる地域社会を作っていきたい。そんな願いを込めて、2005年にこのNPO法人「ふらっとコミュニティ」を設立しました。

精神の病気をもった人がリカバリーできる場所を

ここで、私がどのような経過を経て今のような活動をするに至ったのかをご説明しましょう。

私は精神科の看護師として病院で勤務したあと、地域のケアマネジャーとして高齢者のご家庭の支援に携わってきました。もともとの専門が精神看護なので、ケアマネ業務では支援するご家庭の中に精神障害の子どもがいるような、対応が困難なケースを担当していました。

また一方で、地域全体の精神医療の状況を見てみると、田舎では病院の敷地内にデイケアとグループホームがあり、同じ敷地内のグループホームからデイケアに通っていたりする。退院したとは言っているけれど、行き場が病院の敷地内しかなく、開放処遇の入院と何ら変わりがない。病院側としては患者を抱え込むつもりはないのかもしれませんが、結果としてまさにそのような状態になっているのです。

これではせっかく病院を退院しても、地域に行き場がなく、家にこもりきりになってしまう。

精神科クリニックでは5分にも満たない診療で薬をたくさん処方され、延々通院するだけで、地域の人たちとのつながりをもつことができない。そんな危機感から、精神の病気をもった人がリカバリーするための居場所を作ろうと、ＮＰＯを立ち上げて精神障害患者支援を始めました。

リカバリーは「回復すること」という意味ですが、精神医療の世界では「精神の病気をもつ人が、障害があっても自分らしく充実した生活を送れるようになること」という意味で使われています。

「社会的な居場所」を作る

居場所には大きく2つの意味合いがあります。一人になりたい時に一人になれる「個人的な居場所」と、社会や誰かからの必要性や役割を感じることができる「社会的な居場所」です。

ひきこもり者にとって、個人的な居場所とは自宅を意味します。しかし、「家にも居場所がない」といった声を聞くことがあります。家族から生きづらさを理解されない、否定される、叱責によって追い詰められると、自分が情けなくて何も言い返せない、自分の存在すら認められない、そんな居心地の悪い自宅を居場所だとは感じないと言います。自分自身の安全圏に侵入される感覚を抱くことで心を閉ざし、次第に部屋から出てこなくなり、気配を消す。そうすることで誰からも侵入されない「自分の聖域」を作り、居場所を確保しているのかもしれません。

社会的な居場所は、一般的にはその人が心を休めたり、活躍できたりする環境を指します。物理的な場所というだけでなく、心の拠り所や役割を感じられる場所です。しかし、ひきこもり者は社会とのつながりがないため、社会に居場所がありません。仮に居場所が用意されたとしても、人づきあいが苦手な彼らにとって、行ってみようという気持ちになることや出向くまでのハードルはかなり高いと言えます。一体そこがどんなところなのか想像ができない。過去の嫌な体験を思い出し、不安になり、行けない理由を見つけて今の安定した場所に留まろうとします。このままではいけないと思いつつ、不安に押しつぶされ、一歩が踏み出せないのです。

そのため、居場所とされる箱物だけを作れば良いわけではありません。まずは第1段階である適切な家族支援をすることで、「個人的な居場所」を確保し、心のエネルギーが溜まったところで「社会的な居場所」へとつながるような働きかけが必要なのです。

先日、ふらっとコミュニティ利用者に「ここはどんな所？」と尋ねてみました。私は、専門職として必要だと思うことを一方的に押しつけるのではなく、彼らが何を望んでいるのかを聞くことにしています。答えは彼らにしかないからです。そうやって利用者と一緒に作り上げてきた居場所の役割は、「安心できる」「存在を認めてもらえる」「相談できる」「同じ思いを共有できる仲間がいる」場所を基盤とし、「自分が必要とされる」「誰かの役に立っている」という感覚、つまり自分なりに社会や誰かからの必要性と役割を感じられるかどうかが大切になってきます。

人は誰しも、誰かから必要とされたいはずです。なぜなら、人は人の役に立つことで自分の生きている意味や生きる喜びを見いだすことができるからです。人との関係の中で傷ついた心は、人との関係の中でしか治りません。彼らが傷つくことから逃げず、自分に向き合えるように支え、コミュニケーションスキルが身につけられるように私たちは関わっています。

従来どおりの支援では何も変わらない

もともと不登校・ひきこもりの相談窓口は精神保健福祉センターと保健所でした。しかし、どちらもさまざまな機能があり多忙なうえ、職員の異動により、ひきこもり支援の専門性が育たないというデメリットがありました。そこで、２００９年にひきこもり地域支援センター設置運営事業が始まり、「ひきこもり地域支援センター」が各地に設置され、専属の職員が配置されることになりました。現在では79自治体に設置（２０２０年12月）されています。

しかし、その多くは精神保健福祉センターに看板が付いただけで、本来の目的を果たしているとは言い難いのが現状です。コロナ禍にあって、ひきこもり相談よりも、そちらの対応が優先せざるを得ない状況も見られます。

私がいる地域では、「保健所」がひきこもり地域支援センターのサテライト機関とされており、ふらっとコミュニティもその活動に家族会の立ち上げと運営に協力しました。定例会(家族会)には保健所の保健師さんも参加していたのですが、集まった同じ境遇の親同士、お互いに自分の家のことを話して共感はしても、それに対して何かコメントをしたり、質問に回答したりはしないという、言いっぱなし聞きっぱなしのルールが設けられていました。

そのため、親御さんが「子どもが私に口をきいてくれない。どうしたらいいでしょうか?」と聞いているのに、それに対する解決策は提案されず、「大変だね。頑張ろうね」で終わってしまっていたのです。私はときどき参加しながら、このやり方では、このご家族たちとお子さんとの関係は、何も変わらないのではないかとやきもきしていました。

そのような家族会が5年続きました。でも、何も変わりませんでした。相変わらず親御さんはお子さんと会話もできず、お子さんは外に出ない。ひきこもり期間が5年伸び、親も本人も年を5歳とっただけでした。これでは、とても〝専門的な支援〟と言うことはできません。

多くの人ができるようシステム化

ひきこもり支援はいくつかの段階に分かれていて、第一段階が「家族支援」で、次が「本人支援」。その次に本人が集団の中に入れるようになるための「居場所支援」。その次には本人が社会参加できるように「就労支援」をするといったように、段階を踏んでいきます。まず家族支援から始めるのは、ひきこもり者本人が支援機関に助けを求めることはまずなく、家族が助けを求めることによって支援が始まるからです。

しかし、この家族会の場合は家族支援の段階にとどまってしまい、本人支援の段階にすらたどりついていませんでした。そのため私は、このままでは何も解決しない、誰もやらないなら自分がやるしかないと思うようになりました。

そこで、私の専門は精神看護でひきこもりは少し専門外だったので、まずは内閣府や厚労省が主催するひきこもりについての講習会を片っ端から受けていきました。そして、自分ならどうやるかを考えながら、将来的にはその方法を全国に広めるために、多くの人ができるようシステム化することを考えていきました。それからは、私が考えた方法で支援を始めるために、地元の宇部市にお金を出してくれるよう何度も掛け合いました。

2年がかりで頼み続け、ようやく市が予算をつけてくれることになりました。まず家族支援の活動から始め、その後、本人支援へとたどりつけました（現在、この支援体制を〝山根モデル〟と呼んでいます）。

先ほど説明した5年たっても変わらなかったご家族にも8家族、こちらの支援に参加していただきましたが、現在すべての方に改善が見られており、すでに働いている人も二人います。このようにして、私はひきこもり支援の活動を軌道に乗せることができたのです。

山根モデルについて

ひきこもり支援の段階と支援システム（山根モデル）

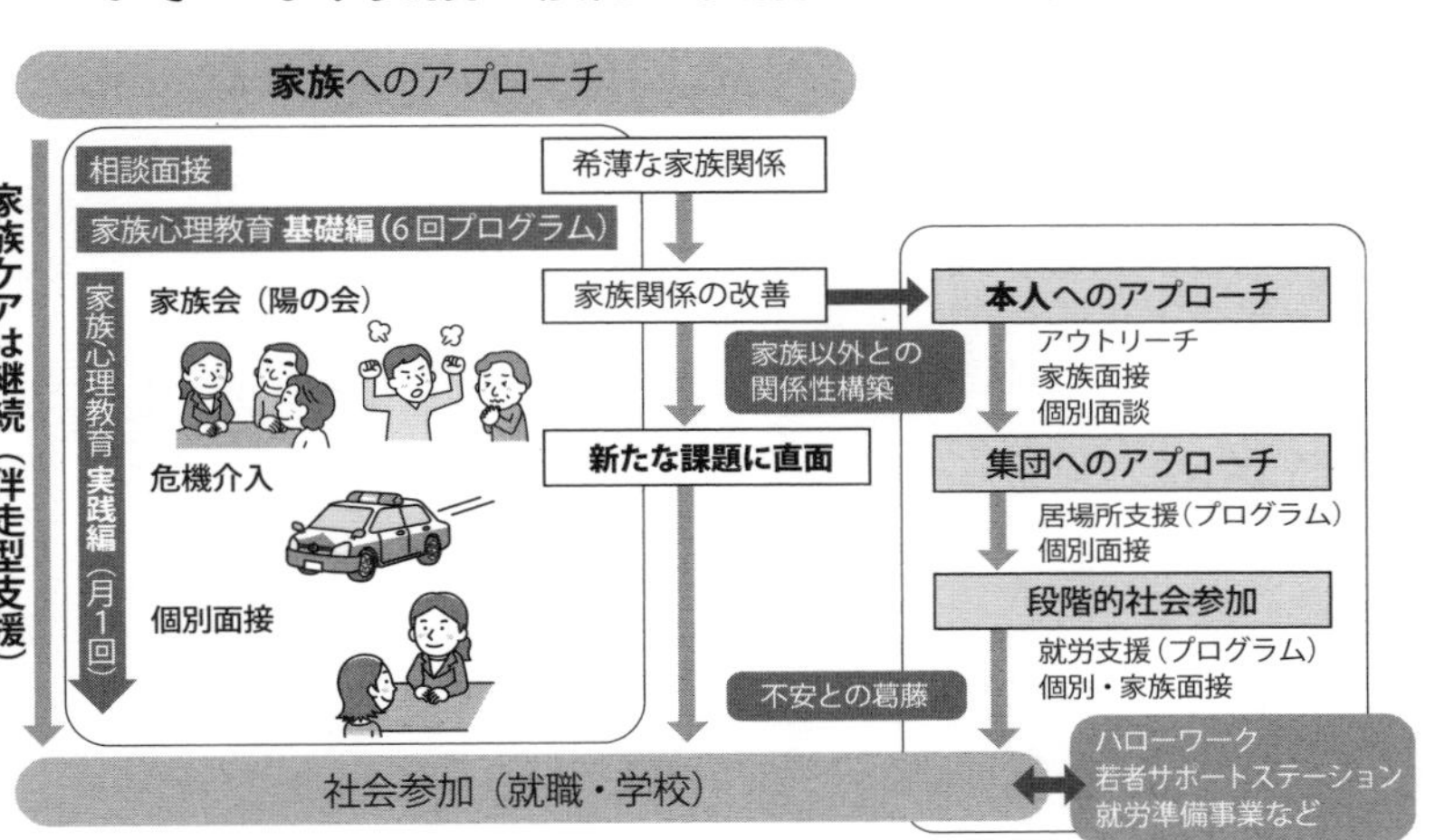

山根モデルの特徴は、家族から相談を受けた際に他機関につなぐのではなく、ひきこもり支援の第1段階から第4段階（前ページイラスト）までを一体的にとらえて伴奏型支援を行う点と、特に家族支援に力を入れており、本書のもととなっている家族心理教育（基礎編6回プログラム＋実践編）の開発によって家族関係に変化をもたらす点です。

そのため、原則的には本人支援をいきなり行うことはせず、「希薄な家族関係」から「家族関係の改善」に移行した時点から開始します。また、本人支援の間も家族支援を継続し、家族とともに歩みだしたひきこもり者をサポートし、新たな課題を解決していきます。

「暴力」等によって親が疲弊しているなど、

危機介入が必要とされる場合は、個別面接でサポートしながら関係機関と連携して解決を図っており、地域包括支援センター等から8050問題の相談を受ければカンファレンス等を実施し、支援のスーパーバイズも行っています。

このように、山根モデルは、本人、家族のみならず、ひきこもり支援者の支援も行う包括的支援体制と言うことができるでしょう。

ここがポイント

- 親戚の子どもを預かっているつもりの距離感で、結論を求めない会話を試みる。
- 「いつまでそうしているの？」「あなたはいったいどうしたいの？」といった質問は、尋問や批判でしかない。
- 子どもの言葉に耳を傾け、「あなたのことをもっと知りたい」という関心を表明する。
- ひきこもりの支援は、第一段階が「家族支援」で、次が「本人支援」、その次が本人が集団の中に入れるようになるための「居場所支援」、そして本人が社会参加できるように「就労支援」をするといった段階を踏んでいく。

考え方を変えていくことで対話や声かけの仕方も変えていく

自分たちの体が動くうちに……

私はＮＰＯ法人ふらっとコミュニティで、定期的に親御さん向けの家族心理教育を開いています。そこでは、前節で書いたような、議論や説得は対話ではないということをお伝えし、結論を押しつけずにお子さんの話を聞かなければならないということを説明するのですが、それでもなかには、腑に落ちない、納得できないという表情をしたり、実際にそういう感想を伝えてきたりする親御さんも多くいます。

そのなかでよく聞くのが、「もう自分たちは高齢で、いつまで生きられるか分からない。自分たちの体が動くうちに、この子をひきこもりから抜け出させ、一人でも生きていけるようにしなければいけないという思いで、正直焦っている。とてもこちらから結論を求めずにただ子どもの言うことを聞くなんていう、悠長なことは言っていられない」ということです。

一刻も早く子どもをひきこもりから脱却させないといけない。じりじりする親御さんの気持ちもよく分かります。しかし、早急に結論を求めてお子さんの気持ちを変えさせようとして、これまでどうなってきたでしょうか。反発され、激高され、かえって解決から遠ざかってしまう。その繰り返しだったのではありませんか？「急がば回れ」ということわざのとおりに、ここは急いでいるからこそ、じっくりとお子さんと向き合うという作戦に変更してみませんか。

閉ざされたドアを開くには

ここで一つ練習をしてみましょう。お子さんがこう言ったとします。

「テレビのコマーシャルの音がうるさくてたまらない！

テレビを消したら消したで、今度は「朝、家の前を通学していく中高生の声が頭に響く。頭から布団をかぶっていないと脳みそが壊れそうなんだ」

これに対して、お父さん、お母さんはどう答えますか？

「なんて大げさなやつなんだ。朝昼に物音がするのは当然じゃないか。私たちにテレビを見るなっていうのか。学生が賑やかなのも当たり前だろう。家に閉じこもってばかりいるから、そんな些細な物音が気になるんだ。少し外に散歩にでも行ってこい！」

こう言いたくなる気持ち、よく分かります。これまでそんなやり取りを何回も繰り返してきたかもしれません。しかし、この本を読んでいただいたならば、この次にお子さんにそう言われた時に、少し答え方を変えてみてほしいのです。

「音がうるさくてつらいんだね。お父さんやお母さんには大きな声に聞こえないけど、お前が気になるのなら、大きな音なんだろう。どうしたらつらくなくなるか、一緒に考えてみようか」

まずは「音がうるさくてつらい」というお子さんの気持ちを認め、受け止めてあげて、その後に解決策を一緒に考えてみよう、という態度を示してみれば、これまで閉ざされていたお子さんの心のドアも少しは開くかもしれません。

聴覚過敏が不登校の原因にも

どうしてお子さんはそんなにテレビの音や外を歩く中高生の話し声が気になるのでしょうか。ここで、読者の皆さんに知っておいてほしいキーワードがあります。それは「聴覚過敏」です。発達障害の傾向をもつひきこもりの人は、「感覚過敏」の人が多いのです。

聴覚過敏とは、その名のとおり音に対して過剰に敏感で、普通の人なら聞き流せるような音

本人にしか分からない聴覚過敏の苦しみ

でも非常に大きく聞こえたり、苦痛に感じたりすることです。空調の音など特定の機械音が苦手だったり、人混みのざわざわする音が特に苦手だったりする人もいます。

また、聴覚過敏の人は、周囲の音をすべて拾ってしまうので、たくさんの音が聞こえる空間に長時間いると、すぐに疲れ果ててしまったりします。不登校になった子にその原因を聞いてみると、大勢の生徒がざわざわする音が苦手で、とても教室にいられなかったということを明かす場合もあるほどです。

聴覚過敏の対策としては、耳栓をしたり、雑音を減らしてくれる特殊なヘッドホンをしたりすることで、効果が現れる場合もあります。公共の場所でヘッドホンをしている人がいたら、

「こんなところでも音楽を聴いて、失礼な人だなあ」などと思わずに、これからは「ひょっとしたら聴覚過敏でヘッドホンをしているのかな」と思っていただきたいです。

子どもが「音がうるさい」と言ったら

2019年に元農水事務次官の男性がひきこもりの長男を殺害した事件では、長男は小学校の運動会の声がうるさいと腹を立てていて、小学生たちに危害を加えることを危惧した父親が犯行に及んだと報じられました。私は、もしかしたらその長男の方は聴覚過敏だったのではないかと考えています。

先ほど述べたように、発達障害の傾向をもつ人のなかには聴覚過敏の人が少なからずいて、耳に入ってくる音に普段から悩まされています。その一方で、私たちは音に鈍感ですから、そのつらさがなかなか分かりません。「何を言ってるんだ、今日くらい我慢しなさい」といった、けんもほろろな対応を親がするから子どもの怒りに火がついて暴言や暴力が出てくるのであって、しっかりと特性を理解して対応し、子どもの訴えに耳を傾けてあげていれば、あのような事件が起こることもなかったのでは……と、やるせない気持ちになります。

例えば、自分の子どもが運動会の音がうるさいと言った時に、この子には聴覚過敏があって、そういう音が自分の生命を脅かすくらいの大変なものに感じてしまっている、ということが分かっていたらどうでしょうか。「そんなこと言うな、少し我慢しろ」ではなく、「確かに今日は運動会だから、風に乗って音がいつもより大きく聞こえてくるよね。でも一日だけのことだから、今日はちょっと一緒にドライブでも行こうか。帰ってくる頃には運動会も終わっているよ」などという対応ができていたら、お子さんから「運動会の音がうるさいから子どもたちをぶっ殺してやる」なんていう言葉は出てこないと思うのです。

でも、多くの親は、聴覚過敏や発達障害のことが分からないから、子どもの訴えに対して「普通の子はそんなこと言わない。あんたはおかしな子！」となってしまうのです。しかし、変な子といって突き放すのではなく、**聴覚過敏や発達障害の特性のために困っているのだということが分かれば、**親も変わっていけると思います。

子どものことを気にかけた声かけを

お子さんへの対応の仕方の練習のついでに、聴覚過敏についての解説もしましたが、ここで何が言いたかったのかというと、「そう感じるお前がおかしい。普通の人はそんなことは気にならない」と否定しないで、まずはお子さんの気持ちに寄り添うということを心掛けていただき

子どもの発達障害の特性を理解して子どもの気持ちに寄り添う

外に出ると不安になってしまうんだ
一人じゃ不安だよね。じゃあ今度、お母さんと一緒に買い物に行ってみようか
どうしても昼夜反対になってしまって、自分でも直せないんだ
じゃあちょっと頑張って、朝ご飯だけでも一緒に食べるようにしようか
緊張してうまく人と話せないんだ
お母さんもそうだよ。気の合う人とだけ話すようにしてもいいと思うよ

たいということです。

つい、「それはおかしい。普通はそうじゃない」と言いたくなってしまうかもしれません。今まで自分が言っていたこと、自分の言いたいこと、世間の常識や尺度からくる言葉をいったん飲み込んで、子どものことを考えて、子どもの立場から言語化していくことは、確かにとても苦しい作業です。やろうとしてもなかなかできない親御さんは多いですし、今までそのようにしたことがないのですから、それも当然です。

そこの部分に対して詳しく助言をしたり、同じ悩みをもつ親同士で話し合ったり、そのような積み重ねで子どもと対話をできるように自分たちを変えていこう——。これが私たちがやっている家族心理教育の主旨なのですが、なかなかそううまくはいきません。

親御さんから「こう言われた時は、なんと答えればいいですか?」と、ノウハウだけを求められることが多いのですが、その場その場の表面的な対応では効果がなく、もっと根本のところで、どうすれば頭ごなしではなく、子どものことを気にかけた声かけができるかという本質的なところを分かっていくようにしないと、親御さん自身もなかなか変われません。最初は分かりづらくても、心掛けていくうちにそれが自然となり、どうして今まではあんな対応を取ってきたのだろう、と思うようになってきます。

ひきこもりの本人からも直接相談が来るように

NPO法人ふらっとコミュニティの家族心理教育に来る方は、「相談に来るのはここで10か所目です。今までどこに行っても解決しませんでした。ここは本当に大丈夫ですか?」と恐る恐る相談される方もおられます。なかには、家の状況を説明すれば、あとは専門家であるあなたたちがなんとかしてくれるのですよね、と私たちに問題への対処を丸投げしようとする方もいらっしゃいます。

そこで私は、これまでの労をねぎらい、まずは親が変わらないと状況は変わらない、親が努

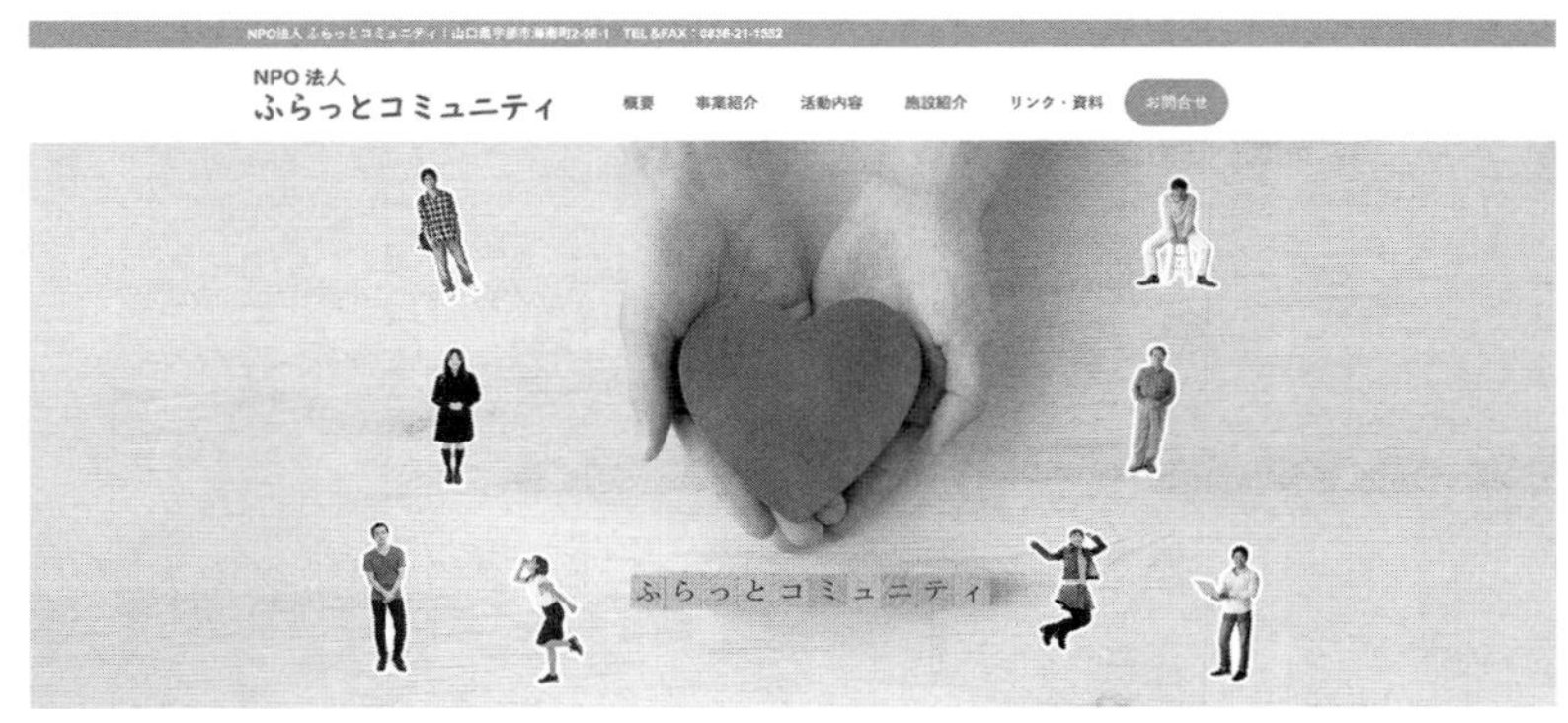

ふらっとコミュニティのホームページ（URL：https://www.flatcommunity.net/）

力しないと本人は私たちのところにたどりつかないのだから、親がどう変わればいいか、私たちと一緒に考えていきましょう、ということを説明します。そうすると親御さんたちは、苦しいながらもお子さんへの対応を変える努力をして、だんだんと家族のあり方が変わっていく。そういうことを私たちは6年続けてきました。

最近は地元テレビ局から取材を受けるようになり、私たちが支援しているひきこもりの方のドキュメンタリー番組が毎週放送されているので、それを見たひきこもりの本人からも「これまでどこに相談しても理解してもらえなかった。ここなら自分のつらさを理解してもらえるのではないかと思った」と言って直接相談が来るようになりました。

ほかにも、ひきこもりの親ではなく、親戚の方が見ていて、ここに相談に行ってはどうかと言われましたとか、そうやってどんどん新しい家族がひきこもりのお子さんとの関係性を変えるきっかけをつかめるようになっています。

子どもの表情がだんだん穏やかに

このように、お子さんへの対応の仕方を変えると、だんだんとお子さんとの関係も、お子さんの様子も変わっていきます。家族心理教育を受けた親御さん皆さんが最初に言われるのが、お子さんの表情がだんだん穏やかになってきたということです。これまでは、親が何かを言おうとするとパッと逃げて、ドアをバターンと閉めて閉じこもってしまい、いっさい親の言葉に耳を傾けなかった。でも、対応の仕方を変えたら、親の声かけに立ち止まって耳を傾けるようになり、返事をするようになったというのです。

それまではどうだったかというと、昼夜逆転していて、姿も見せない。足音もしない。生活音も聞こえないくらい息をひそめていたのです。ところが、苦しいのは親じゃなくて子どもなのだということを親が理解し、子どもに対する声かけの仕方を変えるだけで、子どもは少しずつ穏やかになっていき、閉じていたドアが開くようになります。そういった子どもは人一倍敏

子どもへの声かけの仕方を変えると
お母さんができることがあったら言ってね
ドアが開いて部屋から出てくるように
声かけに返事をするように
今晩は何を食べたい？
とんかつがいいな
一緒に食事をしながら会話もするように

感なので、親の変化をすぐに察知するのです。

ドアが開けば家の中で足音もするようになります。親の声かけに返事をするようにもなります。そして会話ができるようになります。精神科の薬を飲んだりしなくても、解決するようになるのです。

もちろん、ひきこもりの背景に精神障害があったり、診断がつくような発達障害があったりする場合は、きちんと医療機関で診てもらう必要があります。その場合でも、無理やり連れていくような必要はありません。**しっかり支援して必要な時に声かけをすれば、本人一人でもきちんと受診に行くようになります。**そういったことを可能にしてくれるのが、説得や押しつけではない、本当の「対話」の力なのです。

この本では引き続き、そういった本当の「対話」をお子さんとできるようになる方法について解説していきますので、普段の自分はどうしているかな?ということを考えながら、これからの章も読んでいってみましょう。

ここがポイント

- 急いでいるからこそ、じっくりとお子さんと向き合うという作戦に変更する必要がある。
- 子どもが発達障害の特性のために困っているのだということが分かれば、親も変わっていける。
- 子どものことを気にかけた声かけを心掛けていくうちに、それが自然となり、どうして今まではあんな対応を取ってきたのだろう、と思うようになってくる。
- しっかり支援して必要な時に声かけをすれば、本人一人でも受診に行くようになる。

第 3 章

問題と感じる行動（暴力など）を振り返り、その対応法を理解しよう

1

問題となる行動を理解することで以前とは違うとらえ方ができる

親の子どもへの接し方を学び合う「ひきこもり家族心理教育」

これまで述べてきたように、ひきこもりからの回復には、なんといっても家族の力が一番必要です。そして、ひきこもり問題を解決するには、まず親が子どもへの対応の仕方を変えなければいけません。とはいえ、これは簡単なことではない場合が多いです。特に、風邪すらも気合いで治ると言われ、学校では体罰が当たり前だった時代に育った親御さんたちなどは、子どもに厳しく接することも愛情の一つだという思い込みから、なかなか抜け出せないのです。

ひきこもりの当事者は普通は自ら支援機関に行ったりしないという意味でも、ひきこもりの解決は親の対応にかかっています。そこで私は、親が子どもへの接し方を変えられるようになることを目的として、家族心理教室を開いてきました。「はじめに」でも申し上げましたが、私が最初にひきこもり者の家族を対象にした家族心理教育を開催したのは２０１５年。８家族が集まり、「ひきこもり家族心理教育・基礎編」のプログラムを全6回にわたり行いました。

その後、月に1回「ひきこもり家族心理教育・実践編」を行っていき、具体的な対応方法から子離れ・親離れするための支援までを行っていきました。この実践編では、前回のセッションから次のセッションまでの1か月の間に起こった、お子さんとの間の出来事や困り事を報告してもらい、対応を振り返ったり、皆で話し合ったりしました。このようなことを2年続け、家族心理教育の開始から2年が経過した２０１７年3月をひと区切りとしましたが、その結果は目覚ましいものでした。

次第に自分の子どものことを肯定的に受け止めるように

8家族の内訳は、ひきこもりのお子さんの性別が男性4名に女性4名、年齢は19歳～44歳で、平均年齢は35・4歳。ひきこもりの平均年数は9・25年で、一番長い人は14年でした。お子さんが一切外出しない狭義のひきこもりが4名、コンビニ程度には出かける準ひきこもりが4名だったのですが、2年の家族心理教室を行った結果、参加者のお子さんは全員外出するようになり、2名が就労しました。家族との会話も、全くなしが2名、最小限の会話のみが5名、母

親が対処方法を学び合うことで、子どもの態度にも変化が

ちゃんと生活する
ようになりました
子どもの表情が
穏やかになって
立ち止まって話を
聞くように
なったんです
暴力が
なくなりました

親のみと話すが1名だったのが、7名が家族と普通に会話ができるようになったのです。食事も、7名が家族と一緒にすることができるようになりました。

ひきこもりのお子さんをもつご家族は、ひきこもりの子どもに対して批判的であったり、否定的な評価をしていたりすることが多いですが、ひきこもり家族心理教育のプログラムを体験することで、自分の感じている問題が、ほかの家族の悩みと共通していることにまず安心します。そうして同じ境遇の家族と話し合うことを重ねていくうちに、次第に自分の子どものことを肯定的に受け止めることができるようになるのです。

また、さまざまな対応方法をともに学び合う

◎お子さんの気になる行動

ことを通して、子どもへの態度やコミュニケーションが実際に変化し、ご家族自身が余裕をもてるようになり、子どもとの関わり方にも変化が訪れます。各セッションの終了時には、「気づいたこと」や「学んだこと」を振り返り、言葉にして表すようにしてもらいました。これまでの子どもとの対応の何がいけなかったのかを振り返って、鏡に映すように自分の姿を客観的に見つめ直すという作業を行ったのです。このことにより、「以前は○○と思っていたのが、いま思うと△△だった」という気づきが得られ、それが家族関係の改善につながったのです。

◎その行動はどういう意味やつらさから来ているのか

お子さんの気になる行動を書いてみよう

　これを読んでいる読者の皆さんも、お子さんの行動について、これまでとは違った方向からとらえる練習をしてほしいのです。試しに前ページの空欄に、ご自身のお子さんの気になる行動を記入してみましょう。ほかの人に見せるわけではないので、あまり気張らず、思うままに書いてみてください。

　書けましたか？　では次に、それらの行動は、本当はお子さんにとってどういう意味があるのか、どういうつらさから来ているのかを考えてみて、もし思いついたら、右の空欄に記入してください。

どうでしたか？　すぐには思いつかず、書けなかったという人もいるかもしれませんね。今すぐに書けなくてもかまいません。でも、この先を読む間も、そのことを頭の片隅において、困った行動に隠されたお子さんの本当の気持ちにもし気づいたら、さきほどの空欄に書き込んでみてほしいのです。

実際に書いてみると、なるほどそうだったのかと、これまでとは全く違うとらえ方をできたことに、自分で驚くことになるかもしれません。

ここがポイント

- ひきこもりの当事者は、普通は自ら支援機関に行ったりしない。ひきこもりの解決は親の対応にかかっている。
- 親がひきこもり家族心理教育を体験することで、自分の感じている問題がほかの家族の悩みと共通していることにまず安心する。
- 同じ境遇の家族と話し合うことを重ねていくうちに、次第に自分の子どものことを肯定的に受け止めることができるようになる。

周囲とのトラブルに結びつきがちなひきこもりと関連のある問題行動

それでは具体的に、ひきこもりのお子さんによく見られる、ひきこもりと関連のある問題行動を見てみましょう。以下のような問題行動がある場合、「どうしたらいいですか」と相談されます（境、2021、38頁）。もちろん基本的な対応方法はありますが、問題に対処するだけでは解決はしません。行動には必ず意味があります。まずは子どもの生きづらさを理解しようとする姿勢、信頼関係がベースになければ変化は起きません。表面だけを見て理解を装っても見透かされてしまいます。

① 攻撃的な行動（暴言・暴力・物にあたる）

「自分が苦しい時に分かってくれなかった」「ああなったのも、こうなったのも、すべて親のせいだ」「俺に話しかけるな」「ぶっ殺してやる」など、攻撃的な発言をします。ほかにも、物を壊す、暴力をふるう、刃物を持ち出すといった行動が挙げられます。なかには、さらにエスカレートして親を暴力で支配する。長時間にわたって説教をするという行動をとる人もいます。聴覚過敏が原因で「幼稚園の声がうるさい」「車の音がうるさい」などと訴え、親に「何とかしろ！」と暴言を吐く、または隣近所に苦情を言いに行く場合もあります。

攻撃的な行動

- 「ぶっ殺してやる」といった攻撃的な発言をしたり、暴力をふるったりする。
- 聴覚過敏が原因で親に文句を言ったり、隣近所に苦情を言いに行ったりする。

② 対人不安

他人の言動を異常に気にして不安になります。「人の目が気になる」と言い、フードやマスクが外せない、カーテンを閉めきる、日中の外出ができない、宅配便が受け取れない、電話に出られないといったことがあります。特に、不特定多数の知らない人よりも、自分を知っている身近な人、例えば同級生や近所の人の目が気になり、被害妄想的な考えになる場合が多いです。

対人不安

- 他人の言動や人目が気になって不安になり、人に会えず、外にも出られない。
- 不特定多数の人より身近な人の目が気になり、被害妄想的な考えになる。

③ 強迫行動

頻繁に手洗いやうがいをする、誰かが触った物に触れない、洗わないと物に触れない、物を置く時にきちんと角がそろっていないといけないなど、自分でも不合理だと分かっているのに、それらの行動をやめられず、繰り返すことがあります。自分自身だけでなく、親にも「触っていないか」と何度も確認したり、「帰ったら手を洗え」などと強要する場合があります。

強迫行動

- 自分でも不合理だと分かっているのに、その行動がやめられず、繰り返してしまう。
- その行動を親にも強要する場合がある。

④ 昼夜逆転

家族が仕事などで家を留守にしている時や、家族が寝ている時は自分の部屋から出られますが、兄弟姉妹が帰省して実家に滞在していたり、近所の人が訪問していたりする時は部屋から出てこない。そういった場面に出くわさないように、昼は自分の部屋で寝ていて、夜起きて行動するといったケースがよくあります。その際、深夜にリビングなどに出てくる場合でも、生活音ひとつ立てないくらい静かに行動するケースもあります。

昼夜逆転
- 家の中で家族や訪問者とも会わないよう、昼は寝て、夜起きて行動する。
- 深夜に部屋を出てくる場合でも、物音をたてずに行動するケースも。

⑤自傷行為

自分自身の苦しさを言葉で表現するのではなく、リストカットや大量服薬など、自分自身を傷つけるという行為で訴えることがあります。なかには「殺してほしい。生きていても何の意味もない」と言って家族にあたったり、自殺をほのめかして家族を振り回す例もあります。

自傷行為
- リストカットや大量服薬など、自分自身を傷つける。
- 「殺してほしい」と家族に言ったり、自殺をほのめかしたりする例も。

⑥抑うつ・不安

「消えてしまいたい」「生きている価値がない」「皆に迷惑をかける」などの絶望感や悲観的な訴え、「死ぬ場所を探している」「死にたい」などの自殺念慮（死にたいという考え）を口にする場合があります。目に見える特徴としては、表情に精彩がない、声が小さい、雰囲気が暗い、一日中寝ているなどの状態を見せることもあります。

抑うつ・不安

- 「死にたい」などの自殺念慮を口にする場合がある。
- 表情に精彩がない、声が小さい、一日中寝ているなどの状態を見せることも。

⑦些細なことで不機嫌になる

さっきまで普通に会話していたのに突然不機嫌になったりするので、何が言ってはいけないポイントか、いわば何が〝地雷〟かが分からない。気分に波があるということで、家族は対応に苦慮する場合があります。「部屋に入ってくるな」「俺のものに触るな」と怒ったり、許可なく家族のものを勝手に捨ててしまったりすることもあります。

一方、他愛のない話程度ならできるケースもありますが、将来のことなど本質に触れる話題について聞こうとすると途端に不機嫌になり、部屋に入って閉じこもってしまったりして、親との関わりを避けてしまいます。

些細なことで不機嫌に

- 突然不機嫌になったりするので、何が〝地雷〟になるのか分からない。
- 将来のことなど本質に触れる話題を聞かれると、途端に不機嫌になる。

⑧インターネット・ゲームに依存

起きている間はほとんどゲームをしている。家族とは全く喋らないのに、インターネットのゲームでは対戦者と喋っている。食事中もスマホやタブレットが手放せないといったケースがあります。また、情報収集は得意ですが、物事の考え方に偏りがあり、ネット上やツイッターなどのSNSでだけつながっている相手の書き込みを気にしすぎてしまうことがありますが、これもゲーム依存と同じ根から発している問題といえます。

現在、依存の対象になるゲームはほとんどがネットでつながって誰かと対戦したり、一緒に戦ったりするものであり、ゲーム依存とネット依存はほとんど重なっています。精神医学の世界では、WHO（世界保健機関）が定めているICD（International Statistical Classification of Diseases and Related Health Problems ＝疾病および関連保健問題の国際統計分類）という診断基準が、アメリカ精神医学会が定めるDSM（Diagnostic and Statistical Manual of Mental Disorders ＝精神障害の診断と統計マニュアル）という基準と並んでよく使われるのですが、その最新版であるICD-11（ICD第11版）が2018年に公表された際、新たに「ゲーム障害」が国際疾病分類の一つに認定されたことが、大きな話題になりました。

この新しい診断基準は2022年から発効されますが、ネット依存の傾向にある人はすでに421万人に上っているという、(独)国立病院機構久里浜医療センターの樋口進医師による報告もあります。無人島に降り立った人たちが武器を拾って殺し合うという趣向のオンラインゲーム「荒野行動」は、大人から中高生まで多くの人が依存状態になるほど人気を博しました。

ネット・ゲーム依存

- 起きている間はほとんどゲームをしていて、食事中もスマホなどを手放せない。
- ゲームの多くがネットとつながっており、ゲーム依存とネット依存は重なっている。

⑨活動性の低下（外出しない）

人に会うことや話しかけられることが苦手という人は、親が外出を誘うと「腹痛」や「下痢」といった身体症状を理由にして、拒否する場合があります。ひきこもり期間が長くなると、週に1回程度、月に1回程度、あるいはコンビニへの買い物だけというように、徐々に外出頻度が少なくなり、出かける範囲も狭くなって家のごく近くだけになってきます。また、親と一緒に外出しても車から降りられない、レストランに入れないなどという場合もあります。

活動性の低下

- ひきこもり期間が長くなると、外出頻度が少なくなり、出かけても家の近所だけに。
- 親と一緒に外出しても、車から降りられない、レストランに入れないということも。

⑩日常生活活動の欠如

髪を切らない、ヒゲを剃らない、入浴しない、掃除をしない、着替えをしない、ゴミを出さないなど、身なりに気を使わなくなり、次第に日常生活活動が欠如してきます。こういった身の回りのことをする能力のことを、福祉の世界ではＩＡＤＬ（Instrumental Activities of Daily Living）といい、介護の現場でよく使われますが、高齢者だけではなく、ひきこもりの人もこれが低下することがあるのです。もともと苦手だったのか、それともひきこもるようになってからできなくなったのかでも、その程度は違います。金銭管理ができない、銀行のＡＴＭが使えない、健康診断や必要な受診ができないなどは、「生きている力」が落ちていると言うこともできます。

日常生活活動の欠如

- 身なりに気を使わなくなり、次第に日常生活活動が欠如していく。
- 「生きている力」が落ちているとも言える。

⑪他者と関わらない（家族ともしゃべらない、姿を見せない、特定の人としか関わらない）

人とのコミュニケーションを極力最小限で済ませようとするケースのほか、家族の中でも父親とは話さず、母親としか話さないというように、コミュニケーションが特定の人に限られる、全くしゃべらない、姿も見せないなど、その程度はさまざまです。家族が声をかけても耳をふさぐようにしたり、すぐに部屋に入ってしまったりするどころか、部屋から全く出てこないので食事を運んでいるが、ドアを開けようともしないのでドアの外に食事を置いておくと、誰もいない時に取って部屋の中で食べているから、姿を何年も見ていない、といった極端なケースまであります。

他者と関わらない

- コミュニケーションは最小限に済ませ、それも特定の人に限られる。
- 部屋から全く出てこないため、姿を何年も見ていないという極端なケースも。

⑫こだわりがある

石鹸はあのメーカーでなければダメで、ほかのメーカーのものは絶対使わないといった物へのこだわりや、「〜すべきである」といった思考のこだわり、シャワーを1時間も浴びないと外出できないといった行動のこだわりなどがあります。いくら他人が再考を促しても考え方を変えないので、融通がきかない困った人間だと思われることも多いでしょう。また、このこだわりのために自身の行動に制限がかかって動けなくなる。例えば、あの方面には行きたくないとか、あの路線の電車には乗れないといったこだわりのために医療機関に行けないなどのケースもあります。また、自分がそのこだわりに従って行動するだけでなく、他人にもそのこだわりを守るよう強要して、周囲とトラブルになることもあります。

こだわりがある

- 「〜すべきである」といった思考のこだわりや、行動のこだわりなどがある。
- 自分のこだわりを他人にも強要して、周囲とトラブルになることも。

3 コミュニケーションの悪循環を整理し「怒りスイッチ」を入りにくくする

悪循環には共通のパターンがある

お子さんとの会話が成立せずに困っている親御さんに詳しい話を聞くと、「コミュニケーションの悪循環」に陥っているケースが非常に多いです。コミュニケーションの悪循環とはどういうものなのか、事例を使って考えてみましょう。

ケース❷

【70歳の母親と仕事を辞めて実家に戻ってきた45歳男性のケース（母親の語り）】

息子は、35歳の時、突然仕事を辞めて実家に帰ってきました。しばらくは私たち家族と普通に会話をしていましたが、今では全く会話がありません。ひきこもるようになって10

コミュニケーションの悪循環のきっかけ

そろそろ
働いたらどうなの！
あなたのために
言ってるのよ！
親はいつまでも
生きているわけ
じゃないのよ！

年近くになり、将来のことを考えると不安で夜も眠れません。このままではいけないと思ってはいますが、焦らせてはいけないと思い、これまではそっとしていました。

昨日、私が居間にいると、息子が昼過ぎに起きてきたので、「そろそろ働いたらどうなの。親はいつまでも生きているわけじゃないのよ。お母さんはあなたのために言っているのよ」と言いました。

すると息子は「うるさい！　俺がどうなろうと勝手だろう。こうなったのもお前らに責任がある」と怒鳴ったのです。私は驚いてしまい、何も言えなくなってしまいました。

悪循環の共通したパターン

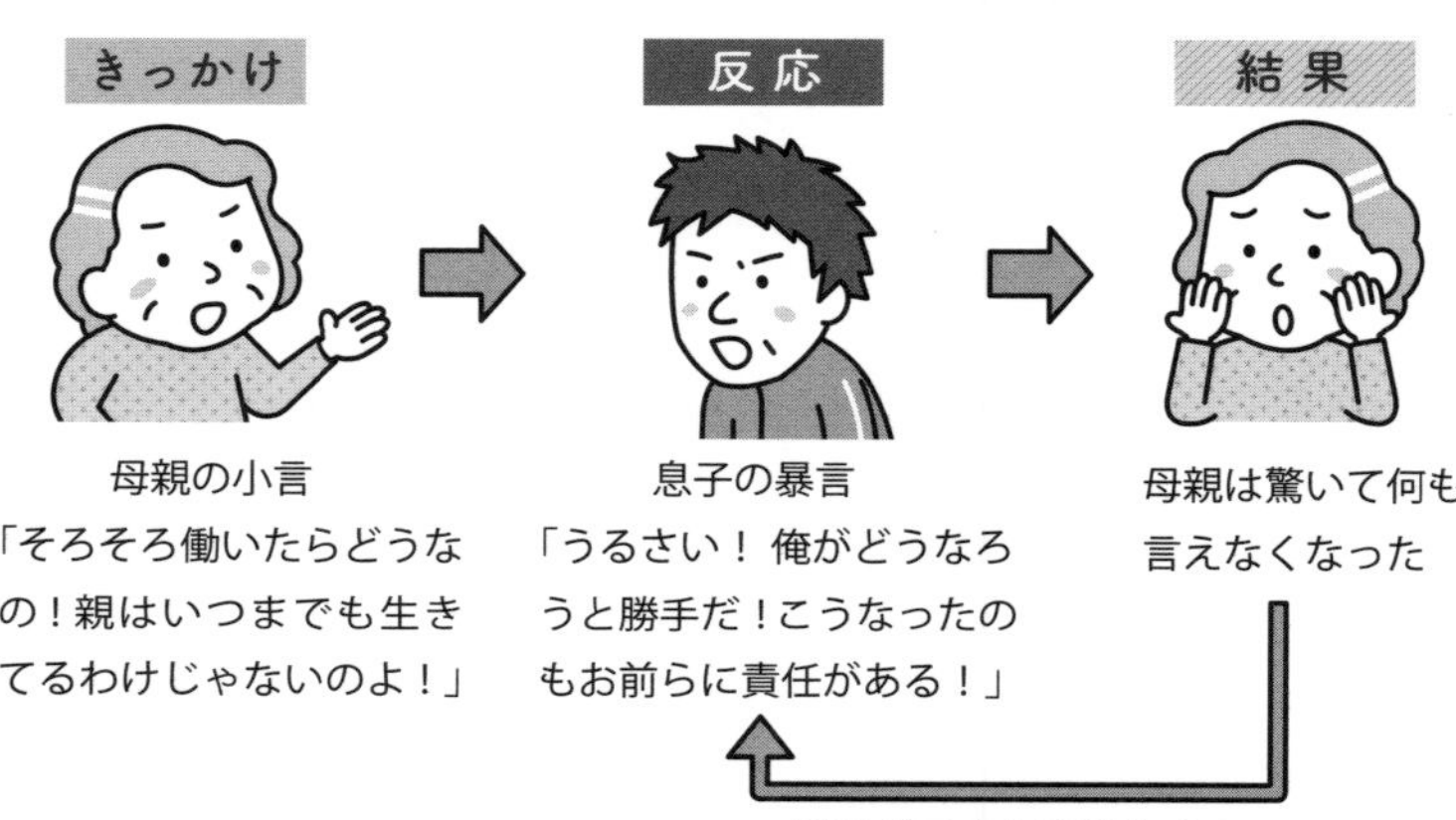

きっかけ
反応
結果
母親の小言
「そろそろ働いたらどうなの！親はいつまでも生きてるわけじゃないのよ！」
息子の暴言
「うるさい！ 俺がどうなろうと勝手だ！こうなったのもお前らに責任がある！」
母親は驚いて何も言えなくなった
結果が反応を継続させる

参考文献：境泉洋編著『CRAFT ひきこもりの家族支援ワークブック改訂第二版』、金剛出版、P46.

このケースの中にはどんな悪循環が潜んでいるでしょうか。悪循環には共通したパターンがあります。その例（上図）を見てみましょう。

この家庭では、このようなことが何度も繰り返されており、そのパターンが定着しています。ここでは、「結果」が「きっかけ」に対する「反応」をコントロールするということが起こってしまっています。これは、母親が息子の暴言に驚いて何も言えなくなってしまうという「結果」が、暴言に対して言いなりになるという「反応」を継続させ、息子の家族に対する暴言が続く状態になってしまっているということです。

一般的に、人がとる行動は、その「結果」において、「やって良かったという満足」や「メリット」が生じると増加します。一方で「やらな

ければよかったという不満」や「デメリット」が生じると減少します（境、前掲書、46頁）。お子さんにとって、暴言を吐けば親が黙るという結果が常態化しているので、暴言を繰り返すパターンにはまりこんでいるわけです。

では、ケース②―2として、ケース②で息子が怒鳴ったことに対して母親が違う対応をした場合を見てみましょう。

ケース②-2

ここで引き下がると息子のわがままを認めてしまうのではないかと思い、「なんでいつもあなたはそうなの？　いい加減、将来のことを考えたらどうなの？」と言い返しました。すると、息子は目の前にあった花瓶をつかむと、壁に向かって投げて割りました。さすがに怖くなって、私は何も言えなくなってしまいました（境、前掲書、47頁）。

この例は、途中まではケース②と同じですが、息子さんに言い返されたあと、それに対して親が反論するところが異なっています。しかし結果は、余計に息子さんを激高させるだけに終わってしまいました。

どうしてそうなってしまったのでしょうか。それを知る手がかりとして、この例も、先ほど

「結果」が新たな「反応」の「きっかけ」に

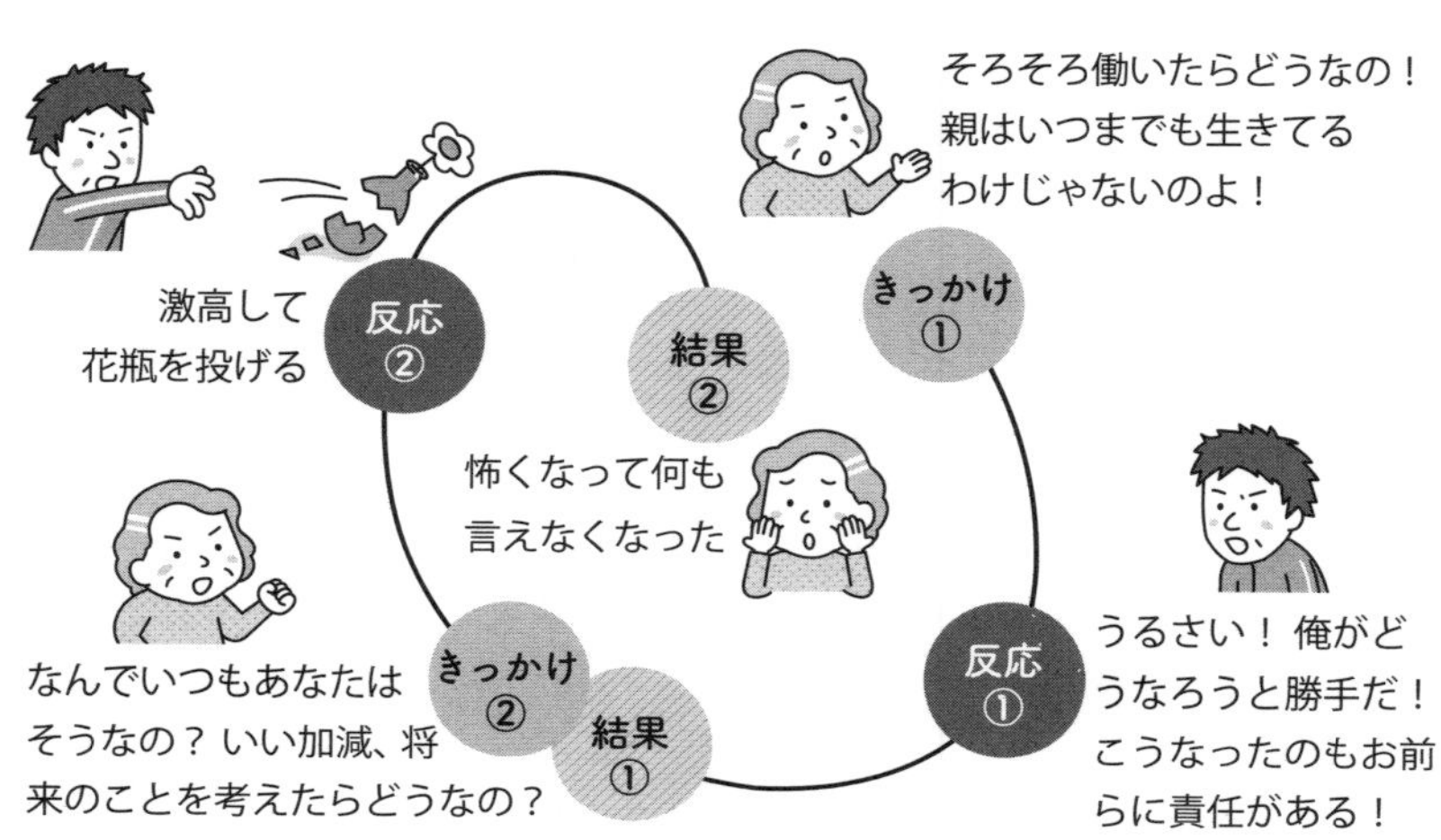
そろそろ働いたらどうなの！
親はいつまでも生きてる
わけじゃないのよ！
きっかけ
①
うるさい！ 俺がど
うなろうと勝手だ！
こうなったのもお前
らに責任がある！
反応
①
結果
①
なんでいつもあなたは
そうなの？ いい加減、将
来のことを考えたらどうなの？
きっかけ
②
怖くなって何も
言えなくなった
結果
②
激高して
花瓶を投げる
反応
②

説明した「きっかけ」「反応」「結果」の3段階にあてはめて考えてみましょう(上図参照)。ここでは、「結果」が新たな「反応」の「きっかけ」になり、親の返事がさらに子どもを激高させるという悪循環が繰り返されています。

良いパターンと悪いパターンを比較

本来、きっかけと反応と結果の循環には2つのパターンがあり、悪い循環だけではなく良い循環もあるはずです。ここで、良いパターンと悪いパターンを比較してみましょう（次ページ図参照）。

パターン①では、誰かがハンカチを落としたので教えてあげたら、その人から感謝されたので、次に同じような場面に出くわしてもまた教

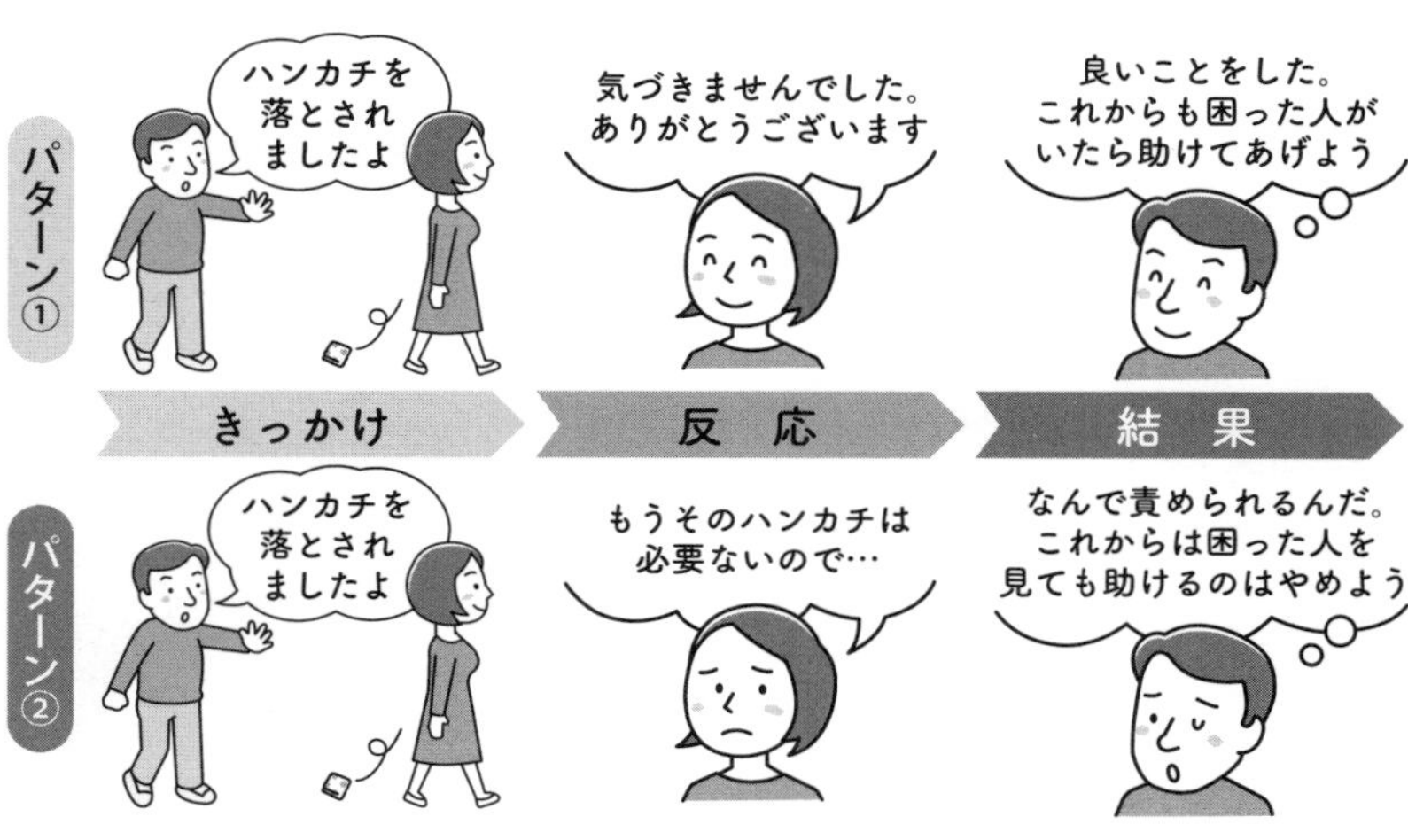
良いパターンと悪いパターン
パターン①
ハンカチを落とされましたよ
気づきませんでした。ありがとうございます
良いことをした。これからも困った人がいたら助けてあげよう
きっかけ
反応
結果
パターン②
ハンカチを落とされましたよ
もうそのハンカチは必要ないので…
なんで責められるんだ。これからは困った人を見ても助けるのはやめよう

えてあげよう、という良い循環が始まっています。それに対してパターン②では、教えたら迷惑そうにされたので、もうそのような場面を見ても教えない、という悪い循環が始まりつつありますね。

コミュニケーションの悪循環を「きっかけ」「反応」「結果」という3つの部分に整理することで、「きっかけ」に対する「反応」、そして、その後に起こった「結果」が、それが良い循環になるか悪い循環になるかを決定していると理解できます。このように**悪循環のメカニズムが理解できれば、どのようにすれば悪循環を断ち切ることができるかを考えられるようになります。**

もう一つの例として、今度は街のいたるところにある自動販売機で起こったトラブルでの対

お金を入れたのにジュースが出てこなかった…

そこで、自動販売機を蹴ってみたら、ジュースが出てきた

2度目

前回のように蹴ってみたが、ジュースが出てこなかった。さらにもう一度、強く蹴ってみたら出てきた

応に例えてみましょう（上図参照）。

これは何を表しているかというと、暴力によって親が子どもの要求を受け入れたら、子どもは暴力をふるえば何とかなるということを学習してしまうということです。結果、子どもが暴力で親を支配するようになるという悪循環が起きてしまうということなのです。

ですので、決して「暴力」に屈してはいけません。暴力は必ず否定してください。しかし、それだけではひきこもりの問題は解決しません。暴力をふるわざるを得ないくらいつらいという子どもの気持ちに共感するようにしてください。そして対話をしていくこと。親と子どもがポジティブなコミュニケーションを行っていくことが、ひきこもりの問題解決には重要なのです。

「怒りスイッチ」の入り方

不登校から始まり、長年のひきこもりを経験した方が私に言ったことで、心に残っていることがあります。かつては心の中にクッションのようなものがあって、親からガツンとストレスになるようなことを言われても、そのクッションが言葉を吸収してくれて、確かに腹は立つけど怒りで我を忘れるようになることはなかった。でも、なぜか分からないけど、年月が経つにつれそのクッションがどんどん薄くなってきて、ガツンと言われたら直に心にグサッと突き刺さるようになった。だから「ぶっ殺してやろうか！」と叫びたくなるほど、怒りが爆発するようになったというのです。親の言葉によって自分の人生や人格が否定されていくうちに、親に認めてもらえないという心の痛みから、自尊心がどんどん傷ついて自己否定が止まらなくなり、その結果クッションがどんどん薄くなって、しまいにはなくなってしまったのだと。

しかしその後、その人の両親が家族心理教育に通うようになると、子どもに対して否定的な対応をしなくなっていきました。すると、彼の心のクッションがだんだん復活してきたのです。彼もＮＰＯ法人ふらっとコミュニティの集まりに顔を出すようになり、そうすると自分が認めてもらえて、理解してもらえて、仲間もできるようになり、そのうちに怒りスイッチが入ることもなくなってきました。爆発的な怒りに至ることがなくなり、多少嫌なことを言われても、我慢して落ち着くことができるようになってきたそうです。

では、怒りスイッチがどのように入るようになっていたのか見てみましょう。

次ページの図は、実際にひきこもりの当事者が私に話してくれた出来事を元にしたものです。その人は自身に起こった出来事をこう語りました。

「私が針治療の予約をして治療院に行ったところ、前の人の施術がまだ終わっていませんでした。外で待つのは寒かったので、『ここで待っていていいですか？』と先生に声をかけました。返事はなかったけど、ダメとは言われなかったので、玄関口に立って、前の人が終わるのを待っていました。そうしたら、施術が終わって支払いをしようとした前の人が、いきなり私に向かって『外で待っておらんか！』と怒鳴ってきました。私は怒りを抑えながら、『あなたに言われる覚えはない』と言い返しました。たぶん私の顔色は変わっていたと思います。それを見た先生が、『高齢者なんだから。まあまあ』と止めてくれました。もし先生のその一言がなかったら、私は次に『ぶっ殺してやる！』と言って、さらに手を出していたかもしれません。そのあと、すぐに治療院を飛び出して、車でコンビニまで行って、携帯で親に電話をして話を聞いてもらったら、ようやく気持ちが落ち着きました」

怒りスイッチの入り方①

現在 ⬅ **自尊心が傷つけられた** ⬅ **以前**

胸のフィルターがなくなり、ストレスが直接胸に突き刺さる

そのため、ストレスがあるとすぐに「ぶっ殺してやる！」などと言うようになった

・人格を否定された
・言動を否定された
・失敗を責められた
・誰からも理解されない
・悪いところばかり指摘される
・自信がなくなる

胸の前にフィルターのようなものがあり、ストレスから守ってくれた

私がこの方との対話を広げて、過去と今の「怒りスイッチ」の入り方を聞いたところ、この方は「自尊心」が傷つくことによって、胸のところにあったフィルターのようなものがなくなり、ストレスが胸に直接突き刺さるようになったと言っていました。その結果、すぐに衝動的な言動をしてしまいそうになると。今は彼の両親が家族心理教育に参加するようになって、両親の対応に変化が出てきたので、彼の自尊心も回復しつつあります。胸のところには薄いフィルターが復活してきていて、我慢ができるようになってきたと言っていました。

自閉スペクトラム症の診断がされた男性のケースでは、彼には独特の理論があり、些細なことで「自分は間違っていない。相手が悪い」と

怒りスイッチの入り方②

1. 通所先の廊下にて、他の利用者と肩が少しぶつかった

2. 職員に詰め寄る

3. 説得されるも思いが収まらない

4. 職員の対応に納得がいかないと言い、市役所に苦情を訴える

人に詰め寄るので、しばしばトラブルが起きます。特に一般論で片付けようとする対応には怒りのスイッチが入りやすく、怒りが収まらなくなる傾向があります。とかく私たちは、トラブルになった状況を見て「どっちもどっち」という喧嘩両成敗的な対応をしてしまいますが、彼にはそれが許せないのです。ここでいう「悪気はないから許してあげて」という対応が、それにあたります。

私がその人との対話を広げて、「怒りスイッチ」の入り方を聞いたところ、信号待ちの際に「自分は赤信号で止まっているのに、黄色で突っ込んでくる人がいたら自分の生命の安全が脅かされるから、その前に言ってきかせようと、その人に向っていくようになった」のだと話して

くれました。その人の親が家族心理教育に通うようになり、本人もＮＰＯ法人ふらっとコミュニティに顔を出すうちに、今では「理解してくれる人がいるから自分も変わりたいと思う。黄色で突っ込む人も世の中にはいるけど、その人たちにいちいち怒っていてもしょうがない。自分から近づかないようにする方法を学んでいきたい」と話すようになっています。

ここがポイント

- ひきこもりの子どもがいる家庭では「コミュニケーションの悪循環」に陥っているケースが非常に多い。
- 悪循環のメカニズムを理解すれば、どう悪循環を断ち切ることができるか考えられるようになる。
- 暴力によって親が子どもの要求を受け入れたら、子どもは暴力をふるえば何とかなるということを学習してしまう。だから決して「暴力」に屈してはいけない。
- それと同時に、暴力をふるわざるを得ないくらいつらいという子どもの気持ちに共感するようにする。

子どもの問題行動を機能分析して コミュニケーション方法の問題を理解

お子さんの問題行動を機能分析してみましょう

これまで、問題と思われる子どもの行動に対し、親はどのような対応をしてきたでしょうか。私の主宰している家族心理教育では、親御さんたちに「問題行動の機能分析」というものを書き込んでもらっています。「機能分析」は、親として良かれと思った対応が、ひきこもりの子どもにどのような意味をもつかについて理解するための方法です。「機能分析」によって、無視される、暴言を吐く、親の気持ちが届かないなどの理由、親子の関係性がどのような状態なのか、といったことが理解できるようになります（境、前掲書、36〜63頁）。

「機能分析」では、きっかけを「外的きっかけ」と「内的きっかけ」に分けて考えます。「外的きっかけ」とは、誰からでも客観的に分かるきっかけのことで、「問題行動」が起きた状況

（時間・場所）や態度（表情・言動）などが挙げられます。「内的きっかけ」とは、客観的には分からない、子どもが「問題行動」の直前に考えていたことや、「外的きっかけ」によってどのような思いをもったかなどです。

お子さんの思いを理解するのは難しいことだと思いますが、正解かどうかにとらわれず、もし自分が子どもだったらどう思うかを想像することから始めてみましょう。第1章で学んだ「発達凸凹」などと照らし合わせて、多角的視点から理解してみることが大切です。

また、「機能分析」においては、その問題行動に対する結果を、「短期的結果」と「長期的結果」に分けて考えます。「短期的結果」とは、その行動によって子どもが体験していることです。「長期的結果」とは、その行動を続けることによって、将来的に子どもがどのような体験をするかということです。問題行動は、「短期的結果」ではメリットがあるために維持されますが、「長期的結果」においては子どもや周囲の人が何らかのデメリットを経験することになります。最後の「分かったこと」は、分析をしてみて気づいたことです。

次ページからの記入方法と記入例を参考に、問題やきっかけ、結果を可視化して、なぜコミュニケーションがうまくいかなかったのかを振り返り、理解したことを整理してみましょう。

◎問題行動の機能分析の記入方法

問題行動	1．お子さんはどんな問題行動をしましたか？ 2．お子さんはその問題行動をどのくらい繰り返していましたか？ 3．お子さんはその問題行動をどのくらいの時間していましたか？

外的きっかけ	内的きっかけ
1．その問題行動をしている時、お子さんは誰といましたか？ 2．お子さんがその問題行動をした場所はどこですか？ 3．お子さんがその問題行動をした時間帯はいつですか？ 4．その問題行動をする直前に、お子さんは何をしていましたか？ 5．その問題行動をする直前に、お子さんの周囲で何が起こっていましたか？	1．その問題行動の直前に、お子さんは何を考えていたと思いますか？ 2．その問題行動の直前、お子さんはどんな気持ちだったと思いますか？

短期的結果（メリット）	長期的結果（デメリット）
1．お子さんはその問題行動をしたことで、どんなメリットを得ていましたか？ 2．お子さんはその問題行動をしている間、どんなことを考えていたと思いますか？ 3．お子さんは問題行動をしている間、どんな気持ちだったと思いますか？	1．その問題行動によって、お子さんにどんなデメリットがあると思いますか？　以下の、a～gの領域を参考に考えてみましょう。その後、デメリットのなかでも、お子さんが同意すると思われるものに○印をつけましょう。 a．人間関係　b．身体面　c．感情面 d．法律　e．仕事　f．金銭的　g．その他

分かったこと	1．機能分析を行って、どんなことが分かりましたか？　外的きっかけ、内的きっかけ、短期的結果、長期的結果についてそれぞれ書いてみましょう。

出典：境泉洋編著『CRAFTひきこもりの家族支援ワークブック改訂第二版』金剛出版、2021年、p52-p53（記入方法の文言について）

記入例 ①

問題行動	夕食時に話しかけたら急に不機嫌になり、箸をバシッと音を立てるように置いて、食事の途中で部屋にこもってしまった。

外的きっかけ	内的きっかけ
唯一、顔を合わせるのは食事の時だけなので、この時にと思って話しかけた。 夕食の最中。 「お父さんたちももう歳だから、これからどうするのか……仕事でも……」と話しかけた。 食事を中断し、顔色を変えて立ち上がり、箸をバシッと音を立てるようにして置き、無言で部屋に入ってしまった。	・今は食事中なのに。 ・そんなことは言われなくても分かっている。 ・自分の気持ちをまるで分かっていない。 ・後ろめたい気持ちをつかれた。 ・プライドが傷つけられた。 ・働きたくても働けない気持ちを分かってほしい。 ・助けてほしい。 ・いつも親の気持ちを押しつけられる。 ・うんざり。

短期的結果（メリット）	長期的結果（デメリット）
・親の口を封じ込めた。 ・親がこの話題に触れなくなる。 ・嫌だという感情は親に伝わった。	・親との関係がまずくなる。 ・家の中での自分の居場所がなくなる。 ・会話の接点がない。会話がさらになくなる。 ・無言での食事が続き、心身ともに疲れる。 ・問題は解決せず、親は歳をとる。

分かったこと	・同じことを繰り返していて、お互いが慣れてしまっている。 ・悪いところで安定している。希薄化した関係性のままで落ち着いている。 ・このような悪循環が恨みにつながっているのかもしれない。 ・ぶつかることで互いに傷つき、前に進めなくなっている。 ・会話もできない状態なのにいきなり仕事の話は、目標が高すぎるのかもしれない。 ・親の焦りばかりで、心配を押しつけていた。 ・本人の思いは全く聞けていない。これまで聞こうとしていなかった。

◎記入例 ②

問題行動	将来のことに触れると機嫌が悪くなる。 強迫症（手洗い、ほこりが気になる、物に触れない）を理由に「できない」と言って何もしない。

外的きっかけ	内的きっかけ
他愛のない普通の会話をしていて機嫌がよかったので、「カレーでも作ってみない？」と話しかけた。 夕方、居間で さらに「お母さんも歳をとってくると、お婆ちゃんのようになるのよ。みんな、何か作ったりするよ。いい出汁もあるし簡単だから、カレー作ってみない？」と言ってみた。 「できない。無理」と表情が暗くなった。	・まだ行動に移せるまでに至っていない。 ・またその話？　自分にはできない。 ・儀式的な手洗いをしないと行動ができないので、苦痛が増える。 ・なぜお母さんは分かってくれないの？ ・料理の段取りが分からない。 ・調理に興味はない。 ・要領が悪いから時間がかかってしまう。

短期的結果（メリット）	長期的結果（デメリット）
・親が全部やってくれる。 ・嫌なことを言われなくて済む。 ・苦痛なことが減る(手洗い）。 ・母親をコントロールして自分は安全で、困らない生活が送れる。	・何もできないので、一人で生きていけなくなる。 ・自分自身の狭い考え、自分中心になる。 ・将来の見通しが立たない。 ・親は娘に振り回されて、疲れ果てる。

分かったこと	・母親との話はできる。 ・親が焦ってしまい、何かさせることばかりにこだわっていた。 ・一人暮らしをさせれば解決するかと簡単に思っていたけど、そうではないことが分かった。 ・細かいところが分かってあげられていない。どうしたら分かってあげられるのか。 ・納得してもらえるような関わり方が分からない。 ・親が発達障害のことをよく分かっていない。

記入例①の解説

80代後半の父親と40代後半の息子のケースです。息子はひきこもり14年。食事は一緒にするが会話はありません。顔を合わせる機会は食事の時しかなく、父親は恐る恐る「お父さんも歳だから、これからどうするのか……仕事でも……」と話しかけたところ急に不機嫌となり、食事を中断し、箸をバシッと音を立てるように置き、部屋に入ってしまったという場面を振り返ったものです。

この分析により、親子のコミュニケーションパターンを可視化することができます。ここでは、本人の気持ちを理解することなく、親が焦るあまり心配を押しつけただけだったことが明らかになりました。今後、親はどう話しかけたら良いのでしょうか。

父親は、食事の前に「話したいことがあるから、時間を作ってほしい」と声をかけることにしました。すると、夕食後、部屋に入る前に立ち止まって「話って何？」と、父親の話に耳を傾けるようになりました。

記入例②の解説

60代前半の母親と30代半ばの娘のケースです。娘はひきこもり16年、ASD、強迫症状あり。強迫症状のために物に触れない、数時間の手洗いなどがあるために手伝いを頼んでも「できない」と言って動こうとせず、母親に依存した生活を送っています。そこで母親は「カレーでも作ってみない？」と声をかけましたが「できない。無理」と言って表情が暗くなったという場面を振り返ったものです。

この分析により、発達障害の特性を理解せずに関わっていたことが明らかになりました。生きづらさを理解し、本人が動けるようにするには、どのような声かけをすれば良いのでしょう。他愛のない会話ができる状態であれば、つらさを共感しながら、短期的にはメリットになるが長期的にはデメリットになることをやんわりと伝えていくことが大切です。

例えば「あなたは料理をすると手洗いが頻回になるというつらさがあるよね。お母さんが料理をすれば困り事はないけど、将来、何もできなくなってしまうのではないかとお母さんは心配なのよ。できるところから少しずつ一緒にやってみない？」としてみてはいかがでしょう。

《参考文献》

境泉洋編著『ＣＲＡＦＴ ひきこもりの家族支援ワークブック改訂第二版』金剛出版（２０２１）

第4章

ポジティブコミュニケーション・好ましい行動を増やす方法を理解しよう

悪循環を好循環に変えるには何をするべきなのか

ドアの前に食事を置いておく「お供え」

　ひきこもり生活が続くと、どうしても体力も思考力も落ちてきてしまいます。そして今の社会は、一度ひきこもりになった人たちに対して厳しい目で見がちですから、ひきこもりの人がまた社会に出ていくというのは、とても大変なことです。

　私は、社会が作ったハードルを少しでもなくしたいと思い、ふらっとコミュニティを立ち上げました。ですので、**ひきこもりの子どもをもつ親御さんも、お子さんにハードルを作らないであげてほしい**のです。

「ちゃんとした会社に就職してほしい」
「働くなら正社員でないと」

こういった言葉で、親が自ら子どもにハードルを課して、社会に出るのを大変にしてこなかったでしょうか。

「仕事が見つかって働いてくれさえすれば安心できるのに」と言う親御さんもいますが、働くことは、階段でいえば10段も上の話です。いきなり階段の10段上を目指してジャンプしたら、そこまで届かないどころか、転がり落ちてケガをしてしまいます。まずは1段ずつ、ゆっくり昇っていけばいいのです。家の中で食器洗いをするとか、家族と会話をするとか、できることを増やしていく。そういったことからまずは始めないと、10段目には到底到達しません。

今は家族と他愛のない話はできるとか、簡単な家事のお手伝いくらいならできるという人でしたら、何がどう苦しいのかを説明できるようになることが次の段階です。また、全く親と口をきかないし返事もしない、姿さえ見せないという人にも、その人に合った階段の昇り方があります。

何年も子どもが自分の部屋から出てこないで姿を見せず、親は子どもの部屋のドア前に食事を置くだけという状態を、私たちは「お供え」と言ったりしますが、この状態からでも階段を1段ずつ昇ることで改善することはできます。

ある家庭では、子どもの動きが出た段階で、お供えの状態から、食事を2階の子どもの部屋

階段を１段ずつ昇ることで状況は改善していく

下に降りてきて、
台所で一人で
食事をするように
犬を散歩に
連れて行く
ように
ご飯は下の
台所に置いて
おくからね

の前ではなく、1階の食卓に置いておき、「ご飯は下の部屋に置いておくからね」とドアの外から声だけかけ、お母さんたちは本人が親の前に姿を見せなくてもいいように自分たちの部屋に入るという対応に切り替えました。本人が動けるような環境を意図的に作ったのです。

これだって大進歩です。そのやり方であれば、本人は下に降りてきてご飯を食べるようになり、いつのまにか親がいない間に犬を散歩に連れて行ったりするようにもなります。家の中で本人と親が出くわす場面も出てくるでしょう。その際には、親が一気に自分の思いを子どもに押しつけたりはせず、まずは普通の会話を交わしていってください。そうやって少しずつ、家族の日常は変わっていくものなのです。

ケース❸

【閉ざされた部屋から出てきた20代男性のケース】

初回相談で両親は「大学を中退し、ひきこもるようになりました。もう何年も姿を見ていないし、気配もありません。食事をドアの前に置き、お供えをしています。本人が動くまで待ちましょうと指導を受けましたが、数年変化がありません」と話しました。家族心理教育では、安全な環境をつくること、先回りをしない「仕掛けて待つ」を学び合います。そうすることで、以下のような変化が起こりました。

①「父親が早めに帰宅したら窓が開いていた」「暑い日に飼い犬が玄関の中につながれていた」など動きが見られるようになりました。この段階でお供えはやめ、「ご飯、食卓に用意してあるから」と声かけをして、親は部屋から出てこないことを徹底しました。

←

②その後、母親が犬の散歩をしていたら「この間、若い男の子がその犬を散歩させていましたよ」と言われびっくりしました。この段階で「帰りが遅くなるから洗濯物を取り込んでおいてくれたら助かる」などの用事を頼み、やってくれたら「ありがとう」とフィード

←

バックするようにしました。
↓
③姿は見せませんが家の中での動きが増え、階段から降りてくる足音や生活音がするようになりました。
↓
④朝から窓が全開となりました。親は焦らずに待つことを徹底したところ、自らの意思で部屋から出てきました。今は親と一緒に食事や外出をし、会話の量も増えてきています。

親の大いなる誤解とは

より良いコミュニケーションのためには、まずはお子さんの好ましい行動を増やす方法を理解することです。いつまでも親子の関係が膠着している家族に詳しく話を聞くと、お子さんとのコミュニケーションのあり方が悪循環に陥ってしまっている場合があります。

これを読んでいる親御さんは、お子さんについついこんな言葉をかけてしまってはいないでしょうか。

小言や叱咤激励でひきこもりは解決しない

「どうして普通のことができないんだ？」

「どうせ暇なのだから、少しは掃除でもしたら？」

「いい歳なんだから、そろそろ働きなさい」

「いつまでこうしているつもりなの？」

「外出しないんだから、お小遣いは必要ないでしょ」

「いつまでも親は元気ではいられないんだぞ。私たちが死んだらどうするんだ」

「あなたのためを思っているのよ」


親がこういった言葉を繰り返しかけてしまうのは、このままでは良くないということを子どもが分かっていないのではないかと思ってしまうからなのですが、それは大きな誤解です。ひきこもりのお子さんは、親から言われなくても、そんなことはよく分かっています。分かっていても身動きが取れないから苦しんでいるのに、そのうえ親からだめ押しされても、余計に苦しくなるだけ。だからこんな言葉をお子さんにかけても、良いコミュニケーションが生まれるはずはありません。その結果生じるのは、小言を言うことでお子さんが暴言を吐いたり、暴力をふるったりするようになり、家族はまた腫れ物にさわるような対応になって、ほとぼりが冷めた頃にまた小言を言うという、コミュニケーションの悪循環だけなのです。

ポジティブなコミュニケーションに変える

悪循環を好循環に変えるには、まず「小言を言う」のをやめることです。お子さんの自尊心が傷つくような、否定的あるいは威圧的な言い方、不安をあおる言い方、そのほか正論や一般論で理詰めにするような話し方はやめましょう。ひきこもりというのは、本人が抜け出したくても容易に抜け出せない袋小路にはまっている状態であり、根性で抜け出せるものではありません。「頑張って乗り越えさせよう」といった根性論は、有益どころか有害です。むしろ、お子さんはそれらの言葉によって追い詰められ、最後の居場所であるはずの家でさえ、安全な環境ではなくなってしまう。その結果どうなるかというと、ますます親に対して心を閉ざして返事

ネガティブからポジティブなコミュニケーションへ

どうしてこんなこともできないの？
上から目線〜
やれることからやっていけばいいわ

をしなくなってしまうだけなのです。

ですので、親御さんが「叱咤激励」を続けている間は、決してひきこもり状態は解決しないと考えてください。なかには、「きちんと言って聞かせないと、今の状態を肯定したことになり、甘やかすことになってしまう」と思う方もいるかもしれませんが、それは間違いです。むしろ、今いる家が自分を受け入れてくれる「安全」な環境にならなければ、お子さんは自由に動けないのです。

では、悪循環を好循環に変えるにはどうしたらよいのでしょうか。そのための唯一で最良の方法が、**これまでのネガティブなコミュニケーションをポジティブなコミュニケーションに変えること**です。親が頭ごなしに言いたいことを言うのではなく、お子さんの生きづらさを理解しようとする姿勢になることです。相手を気遣う思いやりのある態度、何気ない会話から始めて対話を少しずつ深めていくこと、そしてつらい気持ちに対して、「受容」と「共感」を示すことです。上から目線で何かをさせようとするのではなく、やってほしい、とお願いをする姿勢で声をかけるのです。高齢の親御さんだからこそ、まだまだ自分でできるからと頑張りすぎず、少しずつ親の弱みを見せることで、親子の関係がいい方向に進む場合もあるのです。

ここがポイント

- 社会にはすでに高いハードルがある。親まで子どもにハードルを作らない。
- 部屋を出てくるようになった本人に、親が一気に自分の思いを押しつけたりはせず、まずは普通の会話を交わす。そうやって少しずつ家族の日常を変えていく。
- 自分の問題を親から言われなくても子どもは分かっている。分かっていても身動きが取れないから苦しんでいる。親からだめ押しされても余計に苦しくなるだけ。
- 悪循環を好循環に変えるには、これまでのネガティブなコミュニケーションをポジティブなコミュニケーションに変えること。

2 ポジティブなコミュニケーションの取り方を考えてみましょう

適切ではないコミュニケーションは親子関係を悪化させる

親御さんのなかには、子どもは親に厳しく叱られながら成長するもので、自分が子どもだった頃などは、親は子どもが意に添わない行動をすると説教どころか殴ってきたりもしたけれど、そうやって自分は大きくなってきたのだと思っている人もいるようです。しかし、ひきこもりのお子さんがいる家庭では、そのような考え方はむしろ有害です。「自分はこうされてきた」「私たちの時代はこうだった」という考えは、すべて脇に置いておきましょう。ひきこもっている当人にとって、親の「正論」「一般論」ほどつらいものはないのです。

NPO法人ふらっとコミュニティのひきこもり家族心理教育では、子どもとのコミュニケーションについて、これまでの悪循環を好循環に変える、発想の転換法を教えています。それを学んだ参加者からは、次のような感想が寄せられています。

「今までは一方的に親の考えを押しつけていただけだった。だから子どもが何も言えなくなってしまったのだと思った」

「子どもの気持ちを聞かなければ、その先がないことを実感した」

「子どもの心の窓を開ける方法が学べた。待つことも大切」

「子どもの不登校を受け入れなさいと言われて、自分では受け入れたつもりでいた。しかし、心の底では学校に行くべきだと思っていた。だから子どもが苦しんでいたのだと思う。今回、子どもの心を理解することが大切だということを学び、自分が楽になれた。そうすると、子どもが変化し始めた」

「自分の思うとおりに進めようとしてきたことの反省しかない。最近、娘が話をし始めた。やはり親が変わることが大切」

親が変わると子どもが変わることは、私がこれまで見聞きしてきたさまざまな実例が証明しています。適切ではないコミュニケーションは、親子の関係を悪化させるだけ。見当違いの方向に投げられた球は受け止めることも投げ返すこともできません。あなたはこれまで、受け止める子どものことを考えて言葉を投げかけてきたでしょうか。

コミュニケーションの傾向を振り返ってみよう

1．**相手のレベルやペースに合わせることができない。**
⇒相手の立場に立ち、理解しやすい言葉で話していますか。

2．**相手のことはお構いなしで、自分の話したいことを一方的に話し続ける。**
⇒いつも自分の言いたいことが優先で、人の話を聴くことが苦手ではありませんか。

3．**表現が直球すぎて、ナイフのように鋭い言葉を投げかけ、相手を傷つけてしまう。**
⇒抑えつけるような言い方、自分ではそんなつもりはなくても結果として相手を傷つけてしまうことはありませんか。

4．**表現が変化球すぎて、何を言っているのか、相手に全く伝わらない。**
⇒話が長い、回りくどいために、真意が伝わりにくいということはありませんか。

5．**相手が返す言葉が見つからないような質問をしてしまう。**
⇒状況に合わせて、オープンクエスチョン・クローズドクエスチョンを使っていますか。

6．**相手の言葉をきちんと受け止められない。**
⇒相手の言ったことをきき流す、知らん顔といった態度をとっていませんか。

7．**相手の言葉を真に受けてしまい、噛み合わない、すれ違うといったことがある。**
⇒言葉通りに受け取ってしまうことで、トラブルになることがありませんか。

8．**予想することができない話を不意にすることで、相手が固まる。**
⇒TPO（時間・場所・場合）を考慮して会話の内容を選択していますか。

コミュニケーションがうまくいかないパターン

コミュニケーションの語源は「共有」「共通」を意味する言葉で、情報共有や意思疎通を図るということです。つまり、「双方向のもの」ですから、コミュニケーションがうまくいかないのは相手だけに問題があるとは限らないのです。

卓球を思い浮かべてみてください。相手が素人なのに、プロ選手がオリンピック並みの鋭いサーブをしたとしたらどうでしょう。おそらく、ラケットに球は当たることなく、空振りをしてしまうのではないでしょうか。まずは、自分自身のコミュニケーションの傾向について振り返ってみましょう。

否定しないポジティブなコミュニケーションとは（境、2021、119～126頁）

ポジティブなコミュニケーションの取り方にはいくつかのコツがあります。以下の①から⑥のなかで挙げている悪い例が否定的な表現であるのに対し、良い例は肯定的な表現であることがお分かりになると思います。

①声かけをして反応を待つ

長い話は説教がましく聞こえ、反発心を招いてしまいます。同じ家に住んでいるのになかなか顔を合わせないからといって、たまに顔を合わせると、今がチャンスとばかりに親は言いたいことをすべて話そうとする。これではますます関係が悪化します。子どもが親と一緒に食事をしなくなるのは、このように「何か嫌なことを言われるのではないか」という不安から来ていることが多いようです。

こちらの都合で話しかけるのではなく、相手の様子を見て、機嫌がよさそうな時などタイミングを見計らって声をかけましょう。場合によっては、「話があるから都合のいい時間を言ってほしい」と声かけをして、お子さんの反応を待つのもよいと思います。それによって、お子さ

子どもが一日中ゲームをしていたら…

たまには気晴らしに、
犬の散歩でもしてみない？
良い例
学校にも行かないで、
朝から晩までネットばかり
して、何を考えているの
悪い例

んは心の準備をしてから話に臨むことができるようになります。

悪い例「いったいいつまでこうしているつもりなの？ どうしたいか言ってくれないと分からないでしょう。あなたくらいの歳だったら親の面倒を見るのが普通なのに。この状態がいつまで続くのか、お母さん、不安でしょうがないわ」

良い例「お母さんも歳を取ってきたから、できることに限りがあるけど、考えていることがあったら協力するから言ってね」

②「I（私）メッセージ」で伝える

お子さんの問題ばかりを見てしまうと、つい否定的な言動になりがちです。「あなたのために」ではなく、「私はこう思う」といったI（私）

メッセージで伝えていくといいです。

悪い例「この先、いったいどうするつもりなの？　親はいつまでも元気じゃないのよ。あなたのことを思って言っているのよ」

良い例「つい先のことを考えてしまって、お母さんが不安なの」

③良い部分に目を向けて働きかける

いつもと少し違う行動は見つけやすいので、まずは普段と違う行動の変化に注意を向けてみましょう。理解しがたいような行動だったとしても、必ず意味があります。なぜそのような行動をしているのか、理解するための対話をしましょう。

家事をしてくれたなどの良い行動に対しては、「ありがとう」「助かった」などと褒めましょう。このような小さな変化に親が気づいて、言語化して子どもに伝えることは、子どもにとっては、親が自分に関心を示してくれていることの何よりの証拠になります。その結果、「何もできないダメな自分」という否定的な感情が、「以前よりできるようになった自分」という肯定的な感情に変化していきます。行動した結果だけでなく、行動しようとしたというプロセスに対しても評価を忘れないようにしましょう。

子どもが久しぶりに風呂に入ったら…
お風呂に入るなんて
すごいじゃない。さっぱりして
顔色もよくなったね
良い例
ようやくお風呂に
入ったのね。いったい何か月
入っていなかったの？
悪い例

悪い例「ようやくお風呂に入ったのね。いったい何か月入っていなかったの？」

良い例「お風呂に入るなんてすごいじゃない。さっぱりして顔色もよくなったね」

④「共感的理解」の示し方

子どもの心の中にはどのような感情が渦巻いているのか、それを分析して、親の口から言葉にしてみましょう。例えば「働きたい気持ちはあるんだけど、どうしたらいいか分からないんだよね」といったように、親が子どもの気持ちに共感を示せば、子どもは親の話を受け入れやすくなります。こうした姿勢は「共感的理解」あるいは「無条件の肯定的配慮」といいます。

しかし、私が家族心理教育でこのことを伝えると、ご家族のなかには「共感的理解」を示すことに抵抗を感じる人がいるようです。どうやら「共感的理解」をすることで、ひきこもりという子どもの今の状態を容認してしまうことになると感じているらしいのですが、それは誤解です。

「共感的理解」とはその行動を許すということではなく、その行動をせざるを得なかった気持ちに共感するということです。そこでは、いかにお子さんに関心を持つかが大切になります。何に苦しんでいるのか、子どもの言動を否定せずに傾聴することから始まります。**相手の言うことを聞いているよ、という態度を示すだけでも肯定的な反応は成立する**のであって、そうすることで相手は自分の本音を話しやすくなるのです。

悪い例　「どうしていつまでも働かないの？　あなたが何を考えているか全然理解できない」

良い例　「あなたは昔から人が苦手だったね。外出には抵抗があるだろうし、いきなり働けといっても難しいでしょうね」

⑤現状に向き合うように働きかける

子どもがある行動を好んでする時に、その多くには子どもにとっての短期的なメリットがあります。しかし、短期的にはメリットでも、長期的にはデメリットにつながる行動もあります。

短期的なメリットと長期的なデメリット

短期的なメリットとは、それを行なうことで一時的な快楽や安寧を得られること

長期的なデメリットとは、その行動を続けることで、将来的に不利益になるようなことが起こること

それをどう伝えたらよいのでしょうか。

例えば、オンラインゲームに熱中することで、短期的にはつらい現実のことが忘れられ、ゲーム上の仲間とコミュニケーションもできて一体感があるという短期的メリットがあります。しかし、何年もそのようなゲームに没頭するばかりで外に出ていく努力を全くしないと、ますます外の世界と隔てられた生活になってしまうという長期的なデメリットがあるわけです。

ここで大事なのは伝え方です。いきなりデメリットを突きつけて説得するのではなく、短期的に感じるメリットに対して、その苦しい思いを共感します。そのうえで、この状態が続くことのデメリットをやんわりと伝え、少しずつ現状に向き合うように働きかけていきます。

また、現状に向き合うように働きかけることは、根底に親子の信頼関係がないと成り立ちません。責められた感覚になり「守り」に入ってしまったり、理解されない苦しさから「暴言」になったりすることもあります。そのため、他愛のない会話ができるようになってからとなります。

悪い例「思っていることをちゃんと言わないと、社会では通用しないの」

良い例「あなたは、話すことが苦手だからどう伝えたら良いか分からないのよね（苦悩の共感）。我慢して言わない方が、あなたは楽だと感じるかもしれないけど（短期的に感じるメリット）、それを繰り返していると、あなたの気持ちはいつまでも伝わらないままになってしまうよ（この状態が続くことのデメリット）」

⑥協力的な支援を申し出る

現状に向き合うように働きかけることで、困惑したような表情になったときは、話を中断しましょう。「何かできることがあれば協力するから」と優しい言葉をかけ、待つことも大切です。そして、子どもが言ったことに対して、否定せずにポジティブな言い方で対応し、対話を広げていきましょう。もし「このままじゃいけないと思うから、病院で受診したい」などの**反応が**

あった場合は、速やかに動くことが大切です。

悪い例「働くって言っても口ばかりで、行動を起こさないじゃない。本当に働く気があるの？」

良い例「働きたいっていう気持ちはあるのに、どうしたらいいか分からないんだよね。体力も落ちているだろうし、まずはできることから、少しずつ外出することから始めたらどうかな。お母さん、何でも手伝うから言ってね」

ここがポイント

- 「私たちの時代はこうだった」という考えは、すべて脇に置いておく。
- 「あなたのために」ではなく、「私はこう思う」というメッセージで伝えていく。
- 小さな変化に親が気づいて、言語化して子どもに伝えることは、子どもにとって、親が自分に関心を示してくれていることの何よりの証拠になる。
- 相手の言うことを聞いている態度を示すだけでも、肯定的な反応は成立する。
- 短期的に感じるメリットに対して、その苦しい思いを共感したうえで、この状態が続くことのデメリットを伝え、少しずつ現状に向き合うように働きかけていく。
- 子どもの返事をせかさずに待ち、返事があったらポジティブなコミュニケーションで応答し、変化の反応があった場合は速やかに動く。

子どもの問題行動ではなく気持ちの苦しさに目を向けましょう

目を向けるべきは子どもの「苦しさ」

将来のことをきちんと話し合おうとしているのに、子どもがすぐに暴言を吐いたり、物を叩いたりする原因には、「抵抗」という心理的な作用が深く関わっています。

個人が意識化したくない無意識の衝動・欲求・感情・葛藤が意識化されそうになった時、それらが意識に入り込んでくるのを回避する防衛反応が「抵抗」です。さまざまな生きづらさから始まり、学校や社会での挫折体験によってひきこもらざるを得なかったという事実を受け入れるのは、あまりにもつらいことです。それに対する抵抗の一つとして表に出てくるのが、「行動化」（アクティング・アウト）と呼ばれるものです。行動化の例として、体を傷つける行為、暴力、暴言などが挙げられます。

自分の苦しさが何なのか理解できず、現実を受け入れる心の余裕がないので、感情のコントロールができなくなり、次第に周囲に当たり散らすようになる。それさえもが、なんとか心のバランスを保とうとして必死でやっていることなのです。しかし、その気持ちは誰にも理解されず、ますます周囲との溝は広がっていきます。さらに、身近な親からも頭ごなしに否定をされるとさらに苦しくなり、やがて、ものを殴る、蹴るなどの「問題行動」を起こすようになります。

そうすると、家族は「問題行動」にばかり目がいき、何とかしてその問題行動をやめさせようと躍起になります。**問題行動のことでも責められるようになった子どもは、苦しさが倍増し、無意識のうちにさらに大きな問題を起こして自分のことを理解させようとあがくようになり、手がつけられなくなります。**こうなった時の心境をあとで本人に聞くと、「自分自身が壊れていく感覚」なのだと言います。

親が目を向けるべきは「問題行動」ではなく、そういう問題を起こさざるを得なくなった大元である「苦しさ」です。それは薬で解決できるものではありません。問題の根本に気づき、そこに焦点を当てて理解し、手当てしていくと、「問題行動」は不思議に治まっていくものです。

暴力の悪循環

暴力があれば精神科受診を勧めようとしていませんか？　それは「暴力＝病気」「病気＝薬」で問題解決を図ろうとするからです。しかし、自尊感情の低下に「薬」は効きません。いきなり「病気」のレッテルを貼り、「問題」と決めつける対処そのものが生きる力を奪っていきます。

以下は、初回相談時に「子どもが荒れて手がつけられない」と話した両親が、家族心理教育によって1年後に変化したコミュニケーションです。親が変わることは簡単ではありません。変わらなければならない根拠を示し、そのパターンを可視化し、どうすれば好循環になるのかを学び合うことが大切です。

Bさんは30代女性で、些細なことを被害的にとらえやすい傾向がありました。ある日、「私だけ嫌がらせをされているのではないか」と両親に話し始めました。

相談前のコミュニケーションパターン：父親が「お前の思い過ごしだろう。だいたいいつもお前は……」と頭ごなしに否定的な会話をしていました。するとBさんは大声で泣きわめき、物を投げ、暴れ始めます。親を眠らせず、何時間も説教をすることもあったそうです。エスカレートすると、包丁を手にし、「死んでやる」と家を飛び出すこともありました。何度も警察を呼び、手

子どもの「行動化」を起こさないためには

些細なことを被害的にとらえやすい30代の女性が、バイト先での不満を両親に話した

私だけ嫌がらせを受けるの

子どもの「問題」に目を向けた場合

お前の思いすごしだろう。だいたいいつもお前は！

娘は大声で泣きわめき、物を投げ始める

エスカレートすると、包丁を手にしたり、「死んでやる！」と叫んだりするなど、手がつけられなくなる

子どもの「苦しさ」に目を向けた場合

それは大変だね。もう少し詳しく話してごらん

問題行動をしなくても、苦しさが話せるように

それでこないだね

次第に怒る回数が減り、攻撃的になっても時間が短くなった

がつけられなかったそうです。

家族心理教育後のコミュニケーションパターン：父親が、娘の話を否定せずに聴くようになりました。すると、娘は次第に怒る回数が減ってきて、攻撃的になっても時間が短くなりました。親が受け止めてくれることで、自分は何をやっているのだろうと振り返ることができるようになりました。そして、問題行動をしなくても苦しさが話せるようになりました。今はさまざまな困難を乗り越え、親に支えられながら就労するまでに至りました。このように、親が対応の仕方を変えることで、今までの悪循環を好循環へと変えることができるのです。

ここがポイント

- 自分の苦しさが何なのか理解できず、現実を受け入れる心の余裕がないので、感情のコントロールができなくなり、次第に周囲に当たり散らすようになる。
- 問題行動のことで責められるようになった子どもは、苦しさが倍増し、無意識のうちにさらに大きな問題を起こして自分のことを理解させようとあがくようになる。
- 親が目を向けるべきは子どもの「問題行動」ではなく、そういった問題を起こさざるを得なくなった大元である子どもの「苦しさ」である。

「対処」するのではなく「対応」を検討しましょう

今まで家族がやってきたことは「対処」だった

　第2章でご紹介した40代男性が話した、医師がパンクした所を探すことなくいきなり空気を入れ始めるというケースでは、ひきこもりになった根本の原因を見ることなく、対症療法的に大量の薬を与えようとする精神科医や、そのような医療機関に自分を連れていく親のことを例えてそのように表現していました。

　多くの家庭でも、これまで家族が行ってきたことは、実は「対処」が中心で、本当の「対応」にはなっていなかったのかもしれません。次のページにある「問題行動の機能分析」の表は、ある実例をもとにしています（表の見方については第3章④参照）。この表にあるケースでは、「対処」が中心で「対応」ができていないことにより、問題行動に歯止めがかからないパターンを如実に表しているといえます。

「頭が痛い」と子どもが訴えたら頭痛薬を差し出すように、何か問題を起こしたら病院に行こうと言い、暴力を振るったら警察に連絡する。ひきこもりに対しても、相談機関にお願いさえすれば専門の職員がなんとかしてくれると思っている。これらはすべて「対処」であって、「対応」ではありません。根本の解決にはなっていないのです。

左ページの機能分析の図を見ていただいても、このような対処を繰り返していたのでは子どもが心を開くはずがない、ということがお分かりいただけると思います。

「対処」と「対応」とは違いは、次のようにいうことができます。

- **「対処」とは、状況に応じて処置を講じること。**
- **「対応」とは、相手や状況に応じて適当な処置をすること。**

処置を講じる前に、子どもの苦しさに向き合う

「対処」は物事に対して処理する意味合いが強く、それに対して「対応」は物事に応じる、つまり物事に対して自分を合わせる意味合いが強い、と私は考えています。「対処」では物事に対して適当な策を講じているのですが、表に現れている事象だけを見てそれに対処するのでは、根

◎問題行動の機能分析

問題行動	もともと完璧主義で、できないことを「ダメな自分」と悲観的に見る傾向。 最近は母 - 娘関係がうまくいかず、電話着信拒否をされていた。 突然 LINE でアームカット、大量服薬をしたことを知らせてきた。

外的きっかけ	内的きっかけ
1. 娘:「PTSD がつらくて、悪魔にうなされて暴言を吐いてしまう」「フラッシュバックも苦しい」と LINE。 母:「つらいね。心配です。病院に行こうか?」と返信。 2. 娘:「睡眠薬10錠飲んだ。心が壊れています。足の爪を衝動的にはがした。自分を傷つけないと保てない」と LINE。 母:「一人で苦しまないで」と返信。心配になり、勝手に状況を通院先の病院に連絡した。 娘:「分かってない。せっかく築き上げた信頼関係が壊れた」と怒り、受診拒否。	・この苦しさ(過去・現在・未来)を分かってほしい。理解してほしい。 ・どうしたらいいのか誰も教えてくれない。 ・友達が欲しいけど、自分ではつくれない。(転居のため)いつも一人で寂しい。 ・家族の対応は、自分を理解しているとは感じない。 ・もっと頑張らないといけないと思ってしまう。 ・頑張れない自分を自己否定してしまう。 ・結果だけでなく、頑張ったことを認めてほしい。承認してほしい。

短期的結果(メリット)	長期的結果(デメリット)
・問題行動を起こせば、家族が心配してくれる。 ・自分が苦しいという心情は伝えられた。 ・家族の愛情が向けられ、一時的に気持ちは楽になる。	・問題行動でしか気持ちが伝えられない。 ・問題行動がエスカレートする。 ・家族は病院に行きさえすれば何とかなると思ってしまい、状況は悪化する。 ・服薬量が増える一方。

分かったこと	・問題行動は家族の気を引くためだと思っていたが、本当に苦しかったのだということが分かった。 ・家族なりに本を読んで、アドバイスをしないようにしていた。しかし、やっていたことはアドバイスに近いことだった。 ・本当の苦しさには近づけていなかった。 ・「対処」中心で、「対応」ではなかった。 ・この悪循環の繰り返しをしているから、状況がよくならないことが分かった。 ・家族が変わらなければいけないことが理解できた。

本的な解決になっていません。その一方で「対応」は、「この問題に対応する」つまりその問題に向き合っているので、問題の根本から働きかけていくことができるようになるのです。

子どもが問題を起こした場合、その都度医療機関に連れていく、警察に知らせるといった行動が必要な場合も、もちろんあるでしょう。しかし、それらの処置を講じる前に、子どもの苦しさにしっかり向き合い、対話を行い、どうしてほしいのかを聞き、適切な方法をともに考えることです。お子さんがどうしてほしいのかの答えは、本人の中にしかありません。警察や医者が教えてくれるものではないのです。お子さんはそれをうまく言うことができないから、問題行動を起こします。ですので、親御さんはその問題行動に振り回されず、お子さんが何を求めているのかに対する答えを見つけるために、しっかりとお子さんに向き合ってほしいのです。

ここがポイント

- 「対処」が物事に対して処理する意味合いが強いのに対して、「対応」はその問題に向き合っているので、問題の根本から働きかけていくことができるようになる。
- 親はその問題行動に振り回されず、子どもが何を求めているのかに対する答えを見つけるために、しっかりと子どもに向き合う。

《参考文献》
境泉洋編著『CRAFT ひきこもりの家族支援ワークブック改訂第二版』金剛出版（2021）

第5章

先回りをやめて、子どもとしっかり向き合う方法を理解しよう

親の先回りをやめて「足についた鉛」を取りましょう

親の先回りにより、親子の溝がさらに深く

佐々木涼子さん（仮名）の家は、涼子さんご夫婦、ひきこもりの息子さん、そして涼子さんのお母さん、つまりひきこもりの息子さんにとってはお祖母さんの4人家族です。お祖母さんは昨年に脳梗塞を起こしてから半身が不自由になり、車椅子を使うことが多くなりました。病院に行くのももう電車では大変なので、タクシーで行くことになったのですが、家の前に呼んだタクシーにお祖母さんを乗せるだけでも一苦労です。

息子さんはひきこもりとはいえ、年齢的には若く、力はあるはず。涼子さんは息子さんにタクシーに乗せる手伝いを頼もうかと思ったのですが、声をかける前にこんなふうに考えてしまいました。

「子供のため」と 親は“先回り”しがち…
息子にちょっと手伝ってもらいたいけど…
人と顔を合わせるのは嫌だろうし…
ご近所の噂になったら息子が傷つくし…
ヒソ ヒソ
また暴れたりするかも…

「確かに息子は力はあるかもしれないけど、ひきこもり生活で髪もヒゲも伸びっぱなしだし、何年も家族以外の人とは口をきくどころか、顔も見せていない。タクシーの運転手と顔を合わせるのは嫌だろうし、ちょうど車に乗せている時に近所の人が通りかかりでもしたら、『あれ？あそこにいるの、佐々木さんの家の息子さんかしら。何年も姿を見なかったけど、いったい今まで何をしていたのかしら。格好もなんだかへんだし、ひきこもりだという噂は本当だったのね』なんていう目で見られて、息子はますます傷ついてしまうに違いにない。せっかく最近は暴力が影を潜めていたのに、これでまた暴れられたりでもしたら……。やっぱり息子に頼むのはやめておこう」

こうして、涼子さんはひきこもりの息子さんに頼むのをやめました。それでは誰に頼んだかというと、別に暮らしているもう一人の息子さんです。ひきこもりの息子さんは長男で、そのほかに、自立して生活している次男もいたのです。こうして、お祖母さんは次男の力を借りて病院に連れていくことができました。しかし、その様子を家の中からこっそり見ていた長男はのちに「オレをないがしろにするな！」と怒鳴りました。

家には自分がいるのにわざわざ別に住んでいる弟を呼んで、祖母を病院に連れていく手伝いをさせている。自分は厄介者扱いされているという疎外感と、自分は必要のない人間であるという自己否定感をますます強めてしまったかもしれません。本当は彼だって、小さい頃に可愛がってくれたお祖母さんのためなら、勇気を出して病院まで付き添おうと思っていたかもしれないのに……。

これは、親が先回りをしたために、親子の溝がかえって深まってしまった典型的なエピソードです。

子どもが成長する機会を親が摘み取っている

先回りとは、「相手より先に物事をしたり、考えたりすること」を言います。子どもが長くひ

子どもが成長する機会を摘み取る親

子供の先回りをして
障害物を取り除いていく
“カーリングペアレント”

きこもっているると、会話がないために何を考えているのか分からない、行動を起こそうとしないために親が先に動くしかないといった事態が発生します。そのため、知らず知らずのうちに親が「子どものため」と、日常生活の力が落ちてできなくなってしまったと思われることに対し、その必要もないのに手出しをして補う行動が増えてきます。

例えば次のような行動です。読者の皆さんも心あたりはありませんか？

・子どもがインターネットで注文した品物が宅配で届いた際に、人に会うのが嫌だろうからと、親が勝手に受け取る。

・部屋が散らかっていて気分が悪いだろうか

らと、親が本人に断りなく掃除をする。

- 市役所から健康診断の案内の電話があったが、子どもは電話には出られないと決めつけ、親が勝手に断る。
- 子どものひきこもりのことを伝え聞いた人から、子どもに当事者会があることを伝えてと言われると、「あの子は、そういうところには行かないと思う」と返事をし、本人に伝えない。
- 20歳になり、国民年金の支払い通知が来た。将来のために入っておいたほうがいいが、本人は老後のことまで考えるだけの能力がないだろうからと、親が本人に内緒で加入の手続きをして、以降も保険料を払い続ける。
- 子どもがひきこもりなどの当事者が通う通所施設に行くことになったが、やはり通所を休みたいと言うので、自分で電話をして伝えるのは無理だろうと、親が電話をして「もう行きません」と伝えた。
- 子どもが災害被災地などのボランティアに参加しようとしたが、どうせ無理に行っても向こうで調子が悪くなり、ほかの人たちに迷惑をかけるだろうからと、親が本人に内緒でボランティア先に連絡して断った。
- 子どもが欲しいだろうと思う、お菓子、飲み物、雑誌などを買って家に置いておく。

こんなことをしていませんか

飲み物やお菓子、雑誌を買っておく

部屋の掃除を勝手にする

勝手に断りの電話を入れる

息子の国民年金を払い続ける

これらの行動は、本来なら子どもが自分で判断してやるべきところを、親が勝手に先回りして判断し、子どもが自分でやる機会を奪ってしまっています。確かにそれは、ある意味で子どもの命を守る行動でもあります。しかし、子どもの気持ちを案じるがあまり、「こう思っているに違いない」「こういうことはあの子は苦手だから無理。やるとかえって具合が悪くなる」など無意識に子どもが困らないための行動を取り、過度に守ろうとすることは、子どもの生きる力を奪うことにつながりかねないのです。

これらの行為は、特に母親にその傾向が多く見られます。こういう行動を取る母親とその子どもは、母と子の心が一つになり、あたかも一人の人のように固く結びついてしまう「一心同体」の親子になってしまっています。そして、子どもが経験するはずのデメリットを家族が先回りして防ぐことで、子どもがそのデメリットに直面しない、つまり痛い目にあうことがなくなるために、結果として望ましくない行動が維持されてしまうことになるのです。

時には痛い目にあうことも子どもが成長していくためには必要なのですが、その機会を親が良かれと思って摘み取ってしまうため、**子どもは困ることもない代わりに、問題の本質も助長することになり、ひきこもりが長期化してしまう**のです。

「まるで足に鉛（なまり）がついているよう」

もちろん、生活の活動そのものが低下している場合、時には親の手助けも必要でしょう。しかし、実際には子どもはできる力がないのではなく、できる力があるのにやる機会を失っているだけなのです。宅配の荷物を受け取ることも、部屋の掃除をするのも、通所施設に通うのも、本人にできる力はあるのに、あの子には無理と親が決めつけてしまったら、本人の力はどんどん奪われてしまいます。**親がするべきは、先回りをやめ、本人ができるように声かけをし、できるようになるために少しずつ協力すること**なのです。そのためには、お子さんのできないことに目を向けすぎず、できるようにするためにどう支援するべきかを考えていきましょう。

期待しながら見守る

かつてはこんなこともあったはず
その気持ちをもう一度持ってみては

自分のお子さんに、幼児期に初めて一人でお遣いに行かせたこともあったはずです。その時のことを思い出してみてください。親に頼まれたお遣いに不安そうな表情をさせながらも、一人で頑張ってやり遂げようとするお子さんの表情。それを親はハラハラしながらも、期待の気持ちで見守っていたと思います。手出ししすぎず、「期待しながら見守る」というその気持ちが、ひきこもりとなった子どもの親御さんには大切なのです。

子どもが傷つかないようにと親が抱え込み、その経験を奪うのではなく、**経験を成長に変えるための支援をしていかなければ、子どもは動きだせません。**今一度立ち止まって、自分の行動を振り返ってみてください。

ひきこもりの人の話を聞いていると、「まるで足に鉛がついているようで、動くことができない」と言うことがあります。この足についた鉛というのはなんでしょうか。ひきこもり生活を続けることで、日常のさまざまな行動や外出が難しくなってきていることをこう表現しているのかもしれませんが、もしかしたら親の先回りによる子どもの経験の機会を奪う行動も、足についた鉛のなかに含まれているのかもしれません。親が変わらなければ、ひきこもりの人が感じる「足についた鉛」は決して取れることはないのです。

ここがポイント

- 子どもが困らないための行動を取り、過度に守ろうとすることは、子どもの生きる力を奪うことにつながりかねない。
- 子どもは困ることもない代わりに、問題の本質も助長することになり、ひきこもりが長期化してしまう。
- 親がするべきは、先回りをやめて、本人ができるように声かけをし、できるようになるために少しずつ協力すること。
- 経験を成長に変えるための支援をしていかなければ、子どもは動きだせない。

子どもを上手に褒めて好ましい行動を増やす

子どもが嫌がることはしない、言わない

いつも部屋に閉じこもっている息子さんがたまにリビングに現れたりすると、ついつい、役所などで集めた支援機関や相談先のパンフレットを取り出して、「ここへ行ってみない？」と言ってしまう母親のA子さん。しかし、A子さんがそう言うやいなや息子さんは、ほっといてくれ！と言わんばかりにすごい勢いで自分の部屋に戻ってしまいます。

そんな息子さんが久しぶりに外に出かけてコンビニで買い物をしてきたようなので、褒めることが大事と相談機関の人から聞いたばかりのA子さんは「一人でコンビニに行って買ってこれたのね。すごいじゃない」と声をかけてみました。ところが、息子さんは喜ぶどころか顔をひきつらせ、「買い物くらい誰だって行けるだろ！　馬鹿にしないでくれ！」と言って、また部屋に閉じこもってしまいました。いったいどうしてこうなってしまうのでしょう。

家族関係の基盤として覚えておいてほしいことは、子どもの良い行動に対しては褒めてあげることが基本でも、**信頼関係が築けていなければ、いくら子どものことを思ってかけた言葉でも、それは独り言でしかない**ということです。まずは、普通に会話ができる、本音で話し合える、つらさが言語化できるといったコミュニケーションが取れるようにすることが最優先です。そのためには子どもの警戒心を解く必要があります。

では、警戒心を解くにはどうしたらいいのでしょうか。そのためにはまず、**子どもが嫌がることをしない、言わないこと**です。親子の信頼関係が崩れていると、褒めると子どもは嫌がり、叱ると反抗します。そのため、親が頑張れば頑張るほど、その思いが裏目に出てしまい、家族は消耗することになります。逆に、信頼関係ができていれば、褒めると子どもは喜び、叱ると子どもは反省します。子どもの行動にとらわれ、何とか解決しようと焦って対応するのではなく、まずは信頼関係の構築に努めましょう。

まずは子どもができていることに目を向ける（境、2021、102～110頁）

以下に挙げるのは、子どもが嫌がることの例であり、これらのことをすることで、子どもに

子どもが嫌がることは、しない、言わない

学校に
でも行ったら？
同級生のA君は
凸凹商事に入ったのよ
就職
セミナー
○月×日
スポーツジムに
申し込んだから
行ってきなさい
就職のパンフレット
を見せる
パソコンを
取り上げる

とっては親までもが、自分を阻害する社会の人たちと同じグループに入ってしまうのです。これらのことをやらないようにしていれば、だんだんと親子の信頼関係が回復して、普通のコミュニケーションが取れるようになってくるものなのです。

子どもが嫌がることの例

- 「仕事」「学校」「病院」に関する話題
- 憧れと言わんばかりに、仕事や相談先のパンフレットなどを見えるところに置いておく
- 上から目線で威圧的な態度
- 親の価値観の押しつけ、正論、一般論、他者との比較、否定
- 本人の気持ちを無視して、強引に何かをさせ

子どもを上手に褒める

場合によっては褒めると子どもに嫌がられることも。まずは、嬉しいなどという気持ちを言葉で伝える

ゴミを捨てにいけるようになるなんてスゴイじゃない！
NG!
ゴミを捨てにいってくれるの？ありがとう、助かるわ！
OK!

ようとする

・パソコンやゲームをいきなり取りあげる

・本人が嫌と言っていることを何度もする（ノックしないでいきなり入室、勝手に物に触るなど）

・しつこく何度も同じことを言う。話が長い

・子どもの話を聞こうとしない

・自分のことを勝手に親が決めてしまう

・ベタベタされる、無視される、腫れ物に触る、と子どもが感じるような態度

・子どもが自分でできることでも、代わりに親がする

子どもの警戒心を解くために、これらの子どもが嫌がる行動をしないと同時に、子どもが安

心することを増やすことが大切になってきます。

そのためにはまず、**子どもができていることに目を向けること**です。食べた食器を流しに片づけているとか、トイレットペーパーを使いきったら新しいものに変えていたとか、些細なことでもいいのです。そして、その望ましい行動を増やすために、親は何をしたらいいのかを考えてみましょう。

まずは、これまでどのような「望ましい行動」がお子さんにあったのかを振り返ってみましょう。見つけられたら次のページに書き込んでみてください。

ここがポイント

- 信頼関係が築けていなければ、いくら子どものことを思ってかけた言葉でも、それは独り言でしかない。
- 子どもの警戒心を解くには、子どもが嫌がることをしない、言わない。そして、子どもができていることに目を向けること。

◎お子さんにあった「望ましい行動」

3 望ましい行動の機能分析をして子どものもっている力(できること)に目を向けよう

望ましい行動を増やすためには、まずは子どもの警戒心を緩めるような、他愛のない話をすることから始めましょう（境、前掲書、103～109頁）。テレビに出ている芸能人の話題でもいいですし、ゲームをやっているお子さんなら、「あなたが最近よくやってるそのゲーム、どういう内容なの？」と聞いてみるのもいいと思います。今まで自分がゲームをしているのを嫌そうに見るばかりだった親が、その内容に興味をもったことに驚いて、お子さんがいろいろと説明し始めるかもしれません。親も一緒にやってみて、子どもにやり方を教わるというのもありです。

親と顔を合わせると責められるばかりだから、親と会いたくなくなるのです。親と一緒にいても責められない、苦痛を感じない雰囲気が家の中にあれば、子どもと親が同じ空間にいる時間も増えていきます。そのうえで、さらに望ましい行動が増えるための工夫をしていくのです。以下の例で見てみましょう。

望ましい行動が増える工夫をしていく

お父さんじゃ手が
届かないから、
電球を交換して
くれないか

じゃがいもの皮むきを
手伝ってくれたら
助かるんだけど

・望ましい行動が増えるように、やってほしいことをお願いする

「〜をやってくれたら助かるのだけど」「今日、仕事で帰宅が遅くなるから、〜をやっておいてくれないかな」などとお願いをする。洗濯物を取り込む、ゴミをまとめておくといったことのほか、電球を替える、テレビのレコーダーで録画予約をするのを頼んでみるなどもいいですね。

・望ましい行動が起こるよう工夫する

子どもができそうなことをあえて残しておき、お願いをして、やってくれるのを待つ。例えば、餃子のたねを作っておいて、皮で包むのを手伝ってほしいとお願いする、カレーを作る時に野菜の皮むきをお願いするなどはどうでしょう。

・望ましい行動をしたときに「やって良かった」と思えるフィードバックをする

褒めるのは、あなたがやってくれたことで私は助かった、嬉しいということをきちんと示す、いわばフィードバックです。きちんと褒めることで、子どもは次回に頼まれたらまたやろうという気持ちになります。

望ましい行動があった時には、なぜその行動が起きたのか、その行動が増えるためにはどうしたらいいのかを、機能分析して考えてみるのがいいでしょう（境、前掲書、145～152頁）。次ページの書き方と記入例を参考に、ご自身でも行ってみてください（問題行動の機能分析とは、短期的結果と長期的結果のメリット、デメリットが入れ替わります）。

いかがでしたか？　家族会で話を聞いていると、親御さんが「うちの子どもはまともに働いてもいないし、友人もいなくて、あれもできない、これもできない……」などと、できないことばかりを挙げるのですが、よくよく聞いてみると、たまにバイトをしていたり、ネットで知り合った仲間と交流していたり、「こんなにいろんなことができているじゃない！」と驚くこともよくあります。

親御さんはお子さんのできないところばかりを見ようとしないで、できているところ、優れ

◎「望ましい行動」の機能分析の記入方法

望ましい行動	1. お子さんはどんな望ましい行動をしましたか？ 2. お子さんはその行動をどのくらい繰り返していましたか？ 3. お子さんはその行動をどのくらいの時間していましたか？

外的きっかけ	内的きっかけ
1. その行動をしている時、お子さんは誰といましたか？ 2. お子さんがその行動をした場所はどこですか？ 3. お子さんがその行動をしたのはいつですか？	1. その行動の直前に、お子さんは何を考えていたと思いますか？ 2. その行動の直前、お子さんはどんな気持ちだったと思いますか？

短期的結果（デメリット）	長期的結果（メリット）
1. その行動をしたことで、お子さんにはどんなデメリットがありましたか？ 2. お子さんはその行動をしている間、どんなことを考えていたと思いますか？ 3. お子さんは行動をしている間、どんな気持ちだったと思いますか？	1. その行動によって、お子さんにどんなメリットがあると思いますか？以下の、a～gの領域を参考に考えてみましょう。その後、メリットのなかでもお子さんが同意すると思われるものに○印をつけましょう。 a. 人間関係　b. 身体面　c. 感情面 d. 法律　e. 仕事　f. 金銭的　g. その他

分かったこと	1. 機能分析を行って、どんなことが分かりましたか？　外的きっかけ、内的きっかけ、短期的結果、長期的結果についてそれぞれ書いてみましょう。

出典：境泉洋編著『CRAFT ひきこもりの家族支援ワークブック改訂第二版』金剛出版、2021 年、p146-p147（記入方法の文言について）

◎記入例

望ましい行動	天ぷらを揚げるのを手伝ってくれた。ひきこもるようになって、声かけしても一度も手伝ってくれたことがなかったのでびっくりした。

外的きっかけ	内的きっかけ
私（母親）が仕事から帰って、天ぷらを揚げていた。知人から電話があり、今から行くと言われたので、息子に「火事になったらいけないから、Ａさんが来たら、天ぷらを作るのをお母さんと替わってくれない？」とお願いをした。 Ａさんが来たので「お願い」と言うと、すぐに途中から替わってくれた。衣をつけて上手に揚げてくれた。その後、家族みんなで食べた。	・昔、天ぷらは一緒に作ったことがあるので、調理方法を理解していた。 ・前もってお願いをされていたので動きやすかった。 ・お母さんが切羽詰まっていたので、手伝わないといけないと思った。 ・火事になったら困るし。 ・天ぷらは自分も好きだから。

短期的結果（デメリット）	長期的結果（メリット）
・うまくできるかどうか不安。 ・Ａさんと顔を合わせ、声をかけられたらどうしようと緊張する。	・母親の依頼で手伝いができるようになる（できることが増える）。 ・家族から喜ばれ、それをきっかけにコミュニケーションがとれるようになる。 ・家族の役に立つ経験から、自己効力感が高まる。

分かったこと	・天ぷらは作った経験があること、前もって段取りを説明して、お願いをしたことがよかったのかもしれない。 ・動いてもらうためには、息子の特性を理解したうえで、こちらが工夫することが必要だと思った。 ・どうせやってくれないと決めつけるのではなく、声をかけて待つことも大切。 ・「おいしい」と家族が喜んでくれたので嬉しそうだった。あんな顔を見たのは久しぶりだった。 ・できることを増やしていくことの大切さが理解できた。

ているところにぜひ目を向けてあげてください。それができれば、親子の関係性もだんだん変わってくるに違いありません。

記入例の解説

40代前半の母親と10代半ばの息子のケースです。息子は中2から不登校になり、ひきこもり5年。最近は母親と会話ができるようになり、お願いをするとたまに家事を手伝ってくれます。どうすれば望ましい行動が増えるのでしょうか。

先日、天ぷらを揚げるのを手伝ってくれたので、その場面を振り返ることにしました。彼にはASDの傾向があり、前もってお願いをしたこと、具体的な段取りを伝えたことが行動につながったのではないかと思われました。このように、どのような条件が揃ったら動きやすいのかを考えて環境を整えることで、望ましい行動が増えます。そのためには、どのような特性があるのかを知っておくことが大切です。

ここがポイント

- 望ましい行動を増やすためには、まずは子どもの警戒心を緩めるような、他愛のない話をすることから始める。
- そのうえで、さらに望ましい行動を増やすための工夫をしていく。
- 子どものできないところばかりを見ようとしないで、できているところ、優れているところに目を向ける。

《参考文献》
境泉洋編著『CRAFT ひきこもりの家族支援ワークブック改訂第二版』金剛出版（2021）

第6章

これからの対応法を一緒に考えよう

親が子どもに次から次へと押しつけをする「椀子そば理論」

自分の考えを子どもに押しつける親

ある日、一人の青年が私のところに相談に来ました。彼は長年のひきこもりののち、ふらっとコミュニティとつながって施設に来るようになったのですが、ある時から来なくなり、心配していたところでした。なぜ来なくなかったのかを聞くと、彼はこんなふうに答えました。

「これまで自分の居場所ができると、母親もそこに行くようになり、自分にとっての居場所が居場所でなくなってしまっていた。母親がその居場所の周囲の人を巻き込んで洗脳してしまい、自分の居心地が悪くなってしまう。最近ふらっとに来なくなっていたのは、同じことが起こるのではと不安になっていたからなんです」

なんでも、幼少時代から彼の母親は、彼に友達ができると、その友達の家に電話をして「う

外にも内にも自分の考えを押しつける親

うちの子は
こういう子だからね
暴力的なゲームは
やらないでね
下品なマンガは
読まないでね
まずはこの参考書を
やりなさい
お母さんが買ってきた
本を読みなさい
ゲームなんか
しちゃダメ

ちの子はこういう子だから、こういうふうに相手してやってね」と指示したり、家に友達を連れてくると、「うちの子と遊ぶのはいいけど、あまり暴力的なゲームは一緒にやらないでね。マンガも、歴史や科学の勉強になるような内容ならいいけど、うちの子は下品なマンガは好きじゃないからね」などと、いろいろと指示をしていく。さらに中高生になると、相手の家の支持政党や宗教のことまで聞いて、自分がよいと思う思想を相手に押しつけたりするそうなのです。

勉強も「まずはこの参考書をやって、次はこれをやりなさいね」と事細かくやり方を指示してきて、最初は言うとおりにやっていたのですが、だんだん言われるがままに勉強するのが嫌になり、勉強が嫌いになってしまったそうです。

子どもの頃は大人扱いされて、母親に甘えたり、子どもが好むようなゲームやマンガを楽しんだりすることを一切許してもらえなかったそうです。また、「自分のことは自分で決めなさい」と言うわりには、自分が本当に欲しいものを主張すると、「そんなのはダメ。こういい本を読みなさい」といって、自分が信奉する人の本を読ませようとしたというのです。

そして、彼が大人になると、今度は子ども扱い。どこに行くにも行き先を聞き出して、「ゲームセンターは行っちゃダメ」「本屋なら行ってもいい」と、自分でコントロールしようとする。映画を見に行こうとすると、「何の映画を見にいくの?」と聞いてきて、それがどんな内容なのかネットで調べて、「この映画はちょっと騒々しくて暴力的だし、あなたには合わないんじゃない? それよりもこっちの映画のほうが、名作文学が原作だし、芸術的でいいと思うわ」などと、自分のお眼鏡にかなう映画に変えないと、なかなか出かけさせてくれないと言うのです。

彼は私にこんなふうに言っていました。「『自分の世界観』と『親の世界観』は違う。それなのにお母さんは『私がこう思うから』と考えを僕に押しつけてくる。自分の世界に一方的に侵入されると苦しい」と。彼の母親が考えているのは「自分がどうしたいか」だけで、息子のことを見ていないし、考えを聞こうともしないというのです。

彼のお母さんにとっては、息子のことを思うあまり、有害な映画やマンガ、ゲームは見せた

自分の世界観を押しつける親
あなたはこうしたら
いいと思うの
親の世界観
これがあなたには合うわ
これはやっちゃダメ
これをやったらいいわ

くない、自分がいいと思うものを息子にも鑑賞してほしいと思っているのかもしれませんが、彼にとっては、そんなお母さんの押しつけは苦痛でたまらないのです。

なかなか抜け出せない「椀子そば」のループ

このような親と子どもの葛藤を、私たちは「椀子そば理論」と呼んでいます。

「椀子そば理論」は、かつてひきこもりだった方と一緒に過去を振り返り、親子関係と自身の気持ちを整理していた時にできあがったものです。椀子そばを食べたことがない人でも、その様子はテレビなどで見たことがあると思いますが、小さなお椀に入ったそばを食べ終えると、すぐさまお椀に次のそばがつがれ、それがずっと続いていきますよね。そこから名づけられた「椀子そば理論」が具体的にどういうものなのか説明するので、自分たちの親子関係と似たところがないかを考えながら読んでみてください。

「椀子そば」理論

自分は、「椀子そば屋」に生まれ育ち、ほかのものを食べたことがなかった。「もうお腹いっぱいだから」とふたをしたい……。しかし、延々とそばがつがれて止められない。

①ふたをするタイミングが分からない。

②「あなたはたくさん食べられる子だから」と親から期待をかけられ、自分でもそうかもと思って頑張り続けてしまう。

③ふたをしたいのに、母親が延々とそばをつぎ、気づいたら父親がふたをしないようにしていて、二人でタッグを組んでいた。

④母親は「そばを食え」と言う。もう食べられないと言っているのに、今度は父親が「うどんを食え」と言う。つまり、次に椀子うどんが始まる。結局、休ませてくれない。

結果、満腹感というものを感じなくなる。休み方や休むタイミングが分からない。

↓

延々とそばがつがれる「椀子そば」地獄

そばが一番
おいしいのよ

そば以外食べたことがない

まだまだ
食べられるわ

倒れるまで食べ続けるしかない

⑤お腹いっぱいになっても親がつぐことを止めないので、倒れるまで食べ続けるしかない。

⑥椀子そばしか食べたことがなく、ほかに食べるものがあることすら知らなかった。

⑦気持ち悪くなってトイレに入ったら、もう出られない。なぜなら、外に出たらまた椀子そばが始まるから。

←

⑧ある日、食べ物が全く受け付けられなくなり入院した。主治医から「食べ過ぎが原因」と説明され、親は納得したので助かったと思った。しかし、退院後は再び椀子そばが始まった。

先述の青年にも「椀子そば理論」で考えてもらったところ、幼少期からこれまで、母親から「この椀子そばはおいしいでしょう。お母さんが好きだから、きっとあなたも好きなはず」と、自分の考えを押しつけられ続けていた人生だったということです。

お母さんが次々とついでくる椀子そばを、もう食べられないと断っても、「あなたはそうでも、私が食べさせたいから」と言われて、延々と食べ続けなければならなかった。しかし、彼自身も、別の考え方をすれば、椀子そばを食べ続けてさえいれば餓死することはないだろうという、奇妙な安心感のようなものもあったといいます。

ところがある時から急に、母親から「私が椀子そばを食べさせないと、あなたは生きていけないのよ」と言われるようになり、彼は身動きが取れなくなってしまいました。母親からそう言われる一方で「私が死んだらどうするの」とも言われ、非常に混乱したそうです。母親がひっきりなしに椀子そばを与え続けて、息子から自力で食べるものを選ぶ力を奪っているのに、「私が死んだらどうするの」と言うのは矛盾しているのですが、母親はその矛盾には気がついていないようだといいます。

ある日、彼は苦しくなって、椀子そば状態から逃げるために自分の部屋にこもったそうです。部屋から出ていったら、また椀子そばを食べさせられるのでは……そんな恐怖に襲われ、部屋

食べ物が受け付けられなくなり餓死寸前
あなたは私の
椀子そばを食べないと
生きていけないのよ
椀子そばのループから
抜け出せるか
椀子そばを
食べ続ければ
餓死はしない
思い切って
家を出て外で
食べてみる
このまま部屋に
こもり続ける

から出ていけなくなったのです。

このような椀子そば状態を断ち切るためには、親が椀子そば屋を廃業するか、自分が椀子そば状態を乗り越えてそこから脱却するか、どちらかしかありません。しかし、彼は自分の部屋にこもりきりなので、ほかに食べられるものがあるのかどうかも分からない。そんな彼は、家の外に出ることで、初めて世の中には椀子そば以外の食べ物もあるのだ、ということが客観視できるようになったとのことです。

今から思えば、親から離れるために家から逃げ出すという考えは思い浮かばず、なんとか親と和解したい、言い換えれば、椀子そばが嫌だということを理解してほしい、ということを目指していたので、椀子そばのループから抜け出せなかったとのことでした。

自分の家も似たような状況に陥っていないか

彼はふらっとコミュニティに来るようになって、初めて椀子そば状態から抜け出すことができ、まるで陽の当たる公園に来たような感じがしたそうです。これまでいつもお腹がいっぱいで苦しかったけれど、ようやく休憩ができた。ほかにどんな食べ物があるか、何がおいしいかを初めて教えてもらえたと話していました。

そして、彼は椀子そば以外にも、こんなにも多くのおいしいものがこの世界にはある。自分の家が椀子そば屋であっても、ほかのものを食べてもいいんだ。同じそばであっても、次から次へとつがれることもない、お膳に乗った普通のかけそばやざるそばはこんなにもおいしいんだと、初めて気づいたそうです。

彼によると、彼の親は子どもがお腹を壊して入院しても、その原因は自分たちが椀子そばを大量に食べさせたからだという自覚がなく、お腹を壊した本人に問題があるのだと思い、彼が調子を崩してもずっと椀子そばを食べさせようとしていたとのことです。

今は、彼も外で椀子そば以外のものが食べられるようになりました。しかし、彼の親は今で

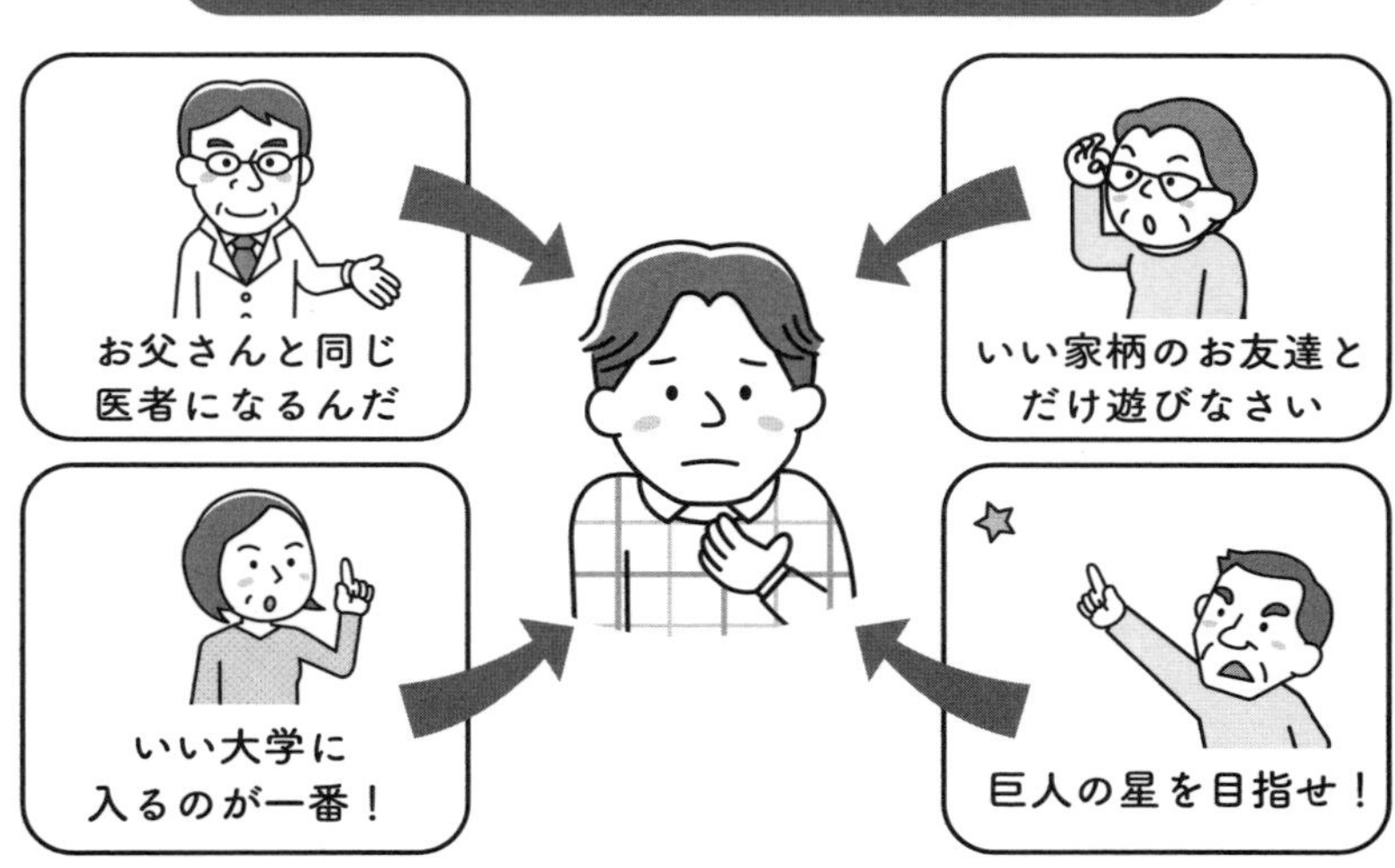
親の一方的な思いの押しつけに苦しむ人も
お父さんと同じ
医者になるんだ
いい家柄のお友達と
だけ遊びなさい
いい大学に
入るのが一番！
巨人の星を目指せ！

も、「椀子そば、昔好きだったでしょう」と言って、隙があらば食べさせようとしてくるとのことです。彼の親は、息子が子どもの時から大人になるまで、好みが全く変わっていないと思っているうえに、人の話を聞いてくれないそうです。

彼は決して椀子そばが嫌いなわけではありません。ただ、毎日は食べたくないということを、せめて分かってほしいだけなのです。

椀子そばというのは、もちろん例え話です。それが何の例えになるかは、それぞれの家庭、ケースによって異なりますから、あえて具体的な説明は控えておきましょう。これを読んで、自分の家も似たような状況に陥っているところがないか、考えてほしいのです。

ここで勘違いしないでいただきたいのは、私は子どもがひきこもりになったのは親が悪いと、親御さんを責めているわけではないということです。前にも言ったように、ひきこもりはさまざまな理由が複合的に重なってなるもので、決して親のせいなどと単純に理由を決められるものではありません。ただ、私のところに来るひきこもりのお子さんのなかの、少なくない人数の方々が、親御さんの一方的な思いの押しつけに苦しんでいる、ということは分かっていただきたいのです。

ここがポイント

- 親が長期間にわたり自分がいいと思うものだけを次から次へと子どもに押しつけ続けたことで、子どもはそれ以外のものを受け付けられなくなってしまうことを「椀子そば理論」と呼ぶ。
- ひきこもりの人のなかの少なくない人が、親の一方的な押しつけに苦しんでいる。

2 自分の時代とは違うことを理解し子どもの状況を考えてみよう

今の時代の生きづらさを表す言葉「人生詰んだ」

現在30代後半から50歳手前くらいの、1993年から2005年ごろの間に就職活動をしていた人たちは、「就職氷河期世代」と言われます。バブル崩壊後、企業が新規採用数を極端に縮小し、大変厳しい就職難だった時代に社会に出たこの世代には、正社員になれなかったり、希望する就職ができなかったりした人たちが大勢いました。さらに、社会構造の変化によって、非正規雇用や契約社員といった、不安定な働き方をせざるを得なかった人たちも相当な数に上りました。なんとか正社員として就職しても、そこは過度な長時間労働やパワハラが当たり前のブラック企業で、心身がボロボロになったあげく退職し、その後はきちんとした就職ができず、バイトを転々としていくしかなかった人も大勢います。

これが、皆さんのお子さんが生きてきた、厳しい時代の現実だったのです。今の時代、見かけ上はみんながスマホをもっていて生活が豊かに見えるかもしれません。しかし、それに比べて不便なことがまだ多かったものの、世の中が上り調子で将来に希望がもて、安定した働き先と信頼できる絆が社会にしっかり備わっていたという意味では、親御さんの世代のほうが遥かに豊かだったと言ってもいいのです。

このような時代に、お子さんが親御さんのように会社でしっかり働いて結婚して家庭をもつことができなかったばかりか、社会に出ることもできずにひきこもりになってしまったからといって、それはお子さんが何の努力もしてこなかったとか、大変なことから逃げ回ってきたとかいったわけではありません。人生は巡り合わせがよければうまくいくことがあるけれど、何かの歯車が狂ったり、巡り合わせが悪いことが続いてしまったりすると、どうやってもうまくいかない状態にはまりこんでしまうことがあります。

私たちの世代にはなかった言い方ですが、最近の人はよくこういう言葉を使います。

「人生詰んだ」

初めて聞いた時は、私も意味が分からなかったのですが、これは将棋の詰みと同じように、もうどこにも駒を動かしようがない、終わっている状態にはまりこんでしまった、ということで

「人生詰んだ」
人生、巡り合わせが悪いことが続くと
6億手先まで読んでも
抜け出せない！
結婚
就職
仕事
生活
俺の人生、もう詰んだ…

す。もうどこにも就職できない、外に出ていくことができない、そんな状態を今の人は「俺はもう人生詰んだ」などと言うようなのです。

しかし、こんな言葉が広まってしまう世の中というのは、なんと悲しい時代なのかと思います。これまでの日本を振り返れば、お金も地位もない、どん底の状態から這い上がって成功した人はいっぱいいいたはずです。人生において、もうどうにもならない状態なんてあるわけがない。「人生詰んだ」なんて、そんな言葉を使わないで！と言いたくなります。

それでも、ふらっとコミュニティに集まる人たちの話に耳を傾けると、こんな悲しい言葉を使うほどに生きづらい世の中に、今の日本はなってしまったのだと感じざるを得ないのです。

凍ってしまった子どもの心を溶かしていく

おはよう
お母さん、ちょっと出かけてくるわ
今日は何が食べたい？

親が変わったということを子どもに見せる

今の社会は、お金がない、仕事もしていない、という人でもありのまま受け入れてくれて、いつでも来ていいと言ってくれる場所はほとんどありません。そういう余裕のない、ゆとりのない社会に、私たちがしてしまったのです。ひきこもりのお子さんが社会を拒絶しているかのようにもしかしたら見えているかもしれませんが、先にお子さんを拒絶したのは、社会のほうだったのではないでしょうか。

これからは、これを読んでいる親御さんも、「親が言いたいことを言う」のではなく、この本を読んで学んだことを意識して、「子どもの生きづらさ」を考えながらポジティブな声かけをするようにしてみませんか？　**まずは他愛のない話から始め、つらい現実を受け止めきれなくなって凍ってしまった子どもの心を少しずつ溶かしていく**のです。

そのようにしても、すぐに目に見えるような変化が起こるわけではありません。それでも、焦らず、慌てず、諦めずに声かけをしていきましょう。焦り始めると、また非難めいた声かけになってしまうので逆効果です。慌てずゆっくり、お子さんの心と向き合っていくのです。

そして、会話ができるようになったら、子どもの気持ちを理解するために対話を広げていきます。これを続けることによって、親子の関係が回復していくのです。この本を読んだことによって、親が変わったことをお子さんも感じ取り、つまりは親の向こうに私たちがいることが伝わり、お子さんも一歩を踏み出してみようと、行動を起こしてくれるようになるのです。

ここがポイント

- 最近の若い世代の人が言う「人生詰んだ」とは、将棋の詰みと同じように、自分の人生がもうどうにも動かしようがない状態に陥ってしまったことを意味する。
- まずは他愛のない話から始め、つらい現実を受け止めきれなくなって凍ってしまった子どもの心を少しずつ溶かしていく。

3

凍った心を溶かすことによって本人に起こる変化をキャッチしよう

ひきこもりは、かつては日本特有の問題であると考えられていましたが、最近はアメリカ、韓国、インド、ロシアなど、諸外国でもひきこもりの症例が報告され始め、Hikikomori は国際的な用語として広まりつつあります。

今、ホームレスやネットカフェ難民も社会問題となっていますが、これらとひきこもりの違いは、社会から排除された人の居場所が「路上」や「ネットカフェ」か、「家の中」かだけの違いではないかと、私は考えています。おそらく、個人主義的な文化が優位の場所ではホームレスが、家族主義的な文化が優位の場所ではひきこもりが増えていくのでしょう。そのどちらにも共通するのは、社会から切り離された人たちという、「社会的排除」の問題なのです。

ひきこもりの人は、社会からは切り離されている一方で、親には依存している傾向があります。それは親のほうも同じで、特に母親は、ひきこもりの子の面倒を見る母親、という役割を演じることに一生懸命になってしまう傾向があります。ひきこもりの人が熱中していることの多い、ゲームのＲＰＧ（ロールプレイングゲーム）というジャンルは、プレイヤーが世界を救う勇者などの役割を演じることからこういう名前がついていますが、ひきこもりの子どもの母親も、献身的な母親というロールプレイングゲームにはまってしまっているのかもしれません。

この本ではこれまで、ひきこもりの子どもをもつ親御さんに向けて、どのように子どもへの対応を変えていけば、親子の対話を拒絶して閉じこもっていた子どもともう一度話し合えるようになるかを説明してきました。私は、これまでにも親が子どもへの対応の仕方を変えることで、ひきこもりの子どもの氷のように凍っていた心が溶け始め、一歩を踏み出し始めるところを見てきました。私が今まで聞いてきた、親御さんからの声を紹介します。

「開かなかったドアが数センチ開いた」
「表情が穏やかになった」
「親の声かけにジッと立ち止まり、耳を傾けるようになった」
「蚊の鳴くような声だけど返事をした」
「家の中で生活音がするようになった」

「昼夜逆転がなくなった」

「暴言や暴力がなくなった。部屋にしまい込んでいた包丁を返してくれた」

「何が苦しいか言えるようになった」

「不機嫌になる時間が減った」

「食卓で食事をするようになり、家族と一緒にいる時間が長くなった」

「お願いをしたら家事を手伝ってくれた」

「このままじゃいけないと思うと言うようになった」


これまで親がよかれと思って行ってきた叱責のような呼びかけが価値観の押しつけであったことを理解して、親がそれをしなくなり、子どもの生きづらさの背景にあるものを理解すること。これまでの親子のコミュニケーションのパターンを振り返り、何が問題だったのかに気づくこと。先回り行動が子どもの自立を阻害していた可能性があることに気づくこと。**それにより親の行動は変容していき、そうすれば子どもも変わっていく**のです。

そうなったとしても、すぐにひきこもりが改善するわけではないですが、だんだんとお子さんは一歩を踏み出していけるようになります。そして次のような変化が表れるのです。

親が変わることから、子どもの新しい一歩が始まる

「話しかけやすくなった」
「家の中では普通になった」
「ときおり本人の機嫌を損ねる地雷を踏んでも、以前ほど激高せず、すぐに落ち着くようになった」
「腫れ物に触るような対応をすることがなくなり、親も楽になった」
「かかってきた電話を取る、回覧板を受け取るなど、できることが増えてきた」
「自分から家事を手伝うようになった」
「家族への気遣いをするようになった」
「親戚に会うことができた」
「宅配の荷物を受け取れるようになった」
「外出するようになった」
「働き始めた」

最後の「働き始めた」を目標にしている親御さんもいるかもしれませんが、そこに向けて焦るのはあまりよくありません。それよりも、お子さんの小さな一歩一歩、わずかな成長を見逃さず、評価するようにしてあげてください。**親子関係の回復は、お子さんのことを認めて評価しているという親御さんの気持ちが、お子さんに伝わることから始まります。**

大丈夫。この本をここまで読むことができた親御さんなら、きっと変われます。そうしたら、そこからお子さんの新しい一歩が始まるのです。初めてお子さんに会えたあの日を喜んだように、お子さんの新しいスタートを祝福してあげてください。

ここがポイント

- 子どもの生きづらさの背景を理解すること、親子のコミュニケーションの問題に気づくこと、子どもの自立を阻害する先回り行動をやめること。それにより親の行動は変容し、子どもも変わっていく。
- 親子関係の回復は、子どものことを認めて評価しているという親の気持ちが子どもに伝わることから始まる。

第7章

ここまで学んだことを家庭で実践するためのポイント

ここまで本書で紹介してきた内容は、ひきこもりの子どもを持つ親御さんがどう変わったらいいか、どう対応したらいいかの基本姿勢です。親が変わることは簡単ではありません。親が言いたいことを言ったり、腫れ物に触る対応をしたりするのではなく、子どもの苦しさを理解し、子どもの心に届く声かけをしていくことが大切なのです。

過去に暴力があった場合は、再び声をかけ始めれば地獄のような毎日に戻るのではないかと不安になってしまうこともあるでしょう。しかし、この基本姿勢を少しずつ生活の中に取り入れ、親が変わることで、確実に親子の関係性が変化し、子どもが再び姿を見せて会話をし始めた家族を私はたくさん見てきました。そして、親の力によって子どもの心にエネルギーが溜まり、このままではいけない、変わりたいと、居場所支援、社会参加支援へと移行したのです。

とはいえ、ふらっとコミュニティでこのように家族が変わっていけるのは、月に一度集まり（実践編）、1か月を振り返ってどうだったかなど苦しい親の気持ちを吐き出し、仲間と共感し合い楽になることができるからです。そして、言葉に表れない子どもの思いの理解や、自分との関係性を客観的に見つめ、具体的にどのように言葉かけをしたらいいかの学びによって家族が変わることで、確実にその距離が縮まっていくからだとも言えます。

この本を読んでいる読者の方のなかには、住んでいる地域に相談できるような場所や家族会が見当たらない、という方がおられるかもしれません。本を読んだだけでは自分と子どもとの関係性を客観的に見ることは難しく、「やっているつもりなのに全く変化がない」と思われる方もおられるでしょう。本章では、ありがちな場面に対し、どう対応したらいいかのポイントを列挙してお伝えします。**キーワードは「言動には必ず意味がある」「心の声に耳を傾ける」「先回りしない」「適度な距離感」「心配だから……を押しつけない」「答えは本人にしかない」**です。

うわべだけ変わっても変化はしない

私の口癖に「子どもの気持ちを理解しようとする。そのために対話をする」があります。その基本姿勢がなければ、小手先の技術だけ学んで相手を変えようとしてもうまくはいきません。変化には時間がかかります。しかし、たとえ表面上は何も変わっていないように見えても、必ず、少しずつ変わり始めます。**芽が地面の上に顔を出していなくても、土に植えた種は根を張り始めているの**です。だから決して諦めないで、基本姿勢（土づくり）から始めてください。

具体的には、相変わらず子どもは外に出ないし、働くなんて夢のまた夢で、全く変化がない、と親が諦めていたとしても、「否定をやめる」だけで子どもの表情が穏やかになったり、立ち止まって話を聞くようになったりします。生きづらさを理解しようとする親の姿勢を基本とした声かけは、人の反応に敏感なお子さんだからこそ感じ取り、体ではなく、まずは心が動き始めるのです。そうして姿を見せる時間が長くなり、少しずつ話し始めるようになります。

こうした変化は親にとって嬉しいものです。しかし、ここで焦ってはいけません。早く良くなってほしいという親の思いが先行してしまい、再び姿を見せなくなってしまいます。ちょっと良くなると、元の親に戻ってしまい、自分の価値観を押しつけ始めるようになったりするのです。親は、自分もそうなるかもしれないことを自覚し、本人の歩みのペースに合わせる努力をしましょう。3歩進んで2歩下がる、そんな感じでしょうか。でも、確実に前に進みます。

お子さんの変化に気づけているか？

大切なことの一つに、「子どもの小さな変化を見逃さない」ということがあります。それは、子どもが言語化できない、親に気づいてほしいと思う心のサインだからです。

例えば、いつもなら食べ終わった食器を流し台に置いた時に呼びかけると、逃げるように部屋に戻っていった子どもに、食器を洗った、イライラしていなかった、立ち止まったなど、小さな変化があったとします。こうした変化に気づいた場合、良い機会だからこの際言っておこうではなく、また腫れ物に触る対応でもなく、平常心で他愛のない会話をしていきましょう。

子どもの小さな変化に気づいたら
珍しいこともあるな。
ちょうどいい、話がある！
あら、お皿を洗って
くれてるのね、助かるわ
娘が珍しく食器を洗い始めた……

「今日は暑かったね」「お茶碗、洗ってくれたのね、ありがとう」など端的な声かけから始めるといいでしょう。立ち止まるということは、何か言いたいことがあるのかもしれません。その時、本人の気持ちをどう汲み取って言葉にするのか。「何か言いたいことがありそうね」と声をかけて待つことも大切です。きっとこうしてほしいに違いないと、言われる前に先走って動くのではなく、話しやすい雰囲気を作り、待つようにしましょう。また、自分が心配だからと気持ちを押しつけるような態度はやめましょう。

あるお子さんは中学で不登校になり、通信高校卒業と同時にひきこもるようになりました。ご両親が「たまには家族で外食しよう」と誘っても、「出かけるとお腹が痛くなるから行かない」と言い、次第に外出しなくなりました。そんなお子さんに対して、父親は顔を見るたびに「いったい将来どうするつもりだ！」「いいかげんにしろ！」と、叱責ばかりしていました。

しかし、両親が家族心理教育に参加し、そういう叱責が一番本人を苦しめていたことを父親が理解すると、叱ることを止め、対話を始めたのです。そして母親も「お腹が痛い⇩仕方ない⇩無理に誘うのは可哀そう」ではなく、どんな時にお腹が痛くなるのか、どんな時間なら外出できるかなど対話を広げていきました。すると、少しずつお子さんの様子が変化してきました。部屋でゲームをしていた子どもがリビングで過ごすようになり、会話が増えてきたのです。

そこで家事手伝いなどをお願いすることで、家での役割が増えてきました。そして、「言われたらやる」から「自ら進んでやる」に変化してきました。先日は「これから暑くなるからクーラーの掃除をしておかないとね」と言って、家中のクーラーを一人で掃除してくれたそうです。両親が「ありがとう。これで暑い夏が乗り切れるね」と感謝を伝えたところ、嬉しそうな表情をしていたと報告を受けました。このように、**誰かの役に立つ、やってよかったというフィードバックは、自尊感情を高めていきます。**

20歳になったことを機に、国民年金の支払いのことを話し合ってもらいました。父親は「20歳になったら年金を払うのは国民の義務。でも、今はまだ自分で支払うのは無理だと思うから、親が元気な間はお父さんがお金を出そうと思う。通帳から引き落とす手続きもできるけど、できれば自分でコンビニ支払いをしてみないか？」と提案をしてみました。すると、お子さんはあっさりコンビニに行くことを選択し、親は意外だったと言います。実に数年ぶりの外出でした。「この子は外出できないから、親が払うしかない」と勝手に親がやってしまうことが先回りの一つで、本人の外出する機会を奪ってしまっているということです。

その後、彼はアウトリーチ（支援機関などによる訪問支援）を受け入れ、親以外の人と関わることができるようになり、外出する機会が増えました。お腹が痛いとも一切言わなくなりました。「お腹が痛いから外出できない」という訴えの心の声は、「外出するのが不安」ということなのです。身体症状を出さなくても対話によって不安が受け止められる体験をしたのです。現在、彼は集団の中に入れるようになり、居場所に通所できるまでになりました。

土づくりの時間だと認識する

家族心理教育に参加されるご家族のなかには、「親が変わらなければいけないのは頭では分かっているけど難しい」「言って聞かせるべき」「もう時間がないので悠長なことはやっていられない」と言われる方もおられます。また、「変化が見られ始めたほかの家族の話を聞くとつらくなる」といって、退いてしまう方もおられます。子どもに数か月で変化が見られる場合もあれば、数年かかる方もおられます。

私は、そんな親の苦しい気持ちを、我慢せずに吐き出すことも回復の第一歩だと思っています。子どもの心の傷の大きさや深さによっても違いますので、ほかの家族と比べて悲観することはありません。苦しい時は、「土づくり」の時期だと思ってください。そして、気づいたことや学んだことを実践することは、土に養分や水を与えることです。そうすることで、いつか必ず芽が出始めます。痩せた土、水もないところに芽が出ることは絶対にありません。たとえ芽が出たとしても風が吹くと倒れ、すぐに枯れてしまいます。**芽（子ども）が枯れそうになった時に支えられる土（親）になることを目指してください。**

あるお母さんは「娘は些細なことで攻撃的になり、売り言葉に買い言葉、全くかみ合わない。皆さんと違って、なかなか良くならないので参加するのがつらい」と、家族心理教育を欠席されるようになりました。しかし、親子関係は改善するどころかさらに悪化し、時として警察沙汰にもなる出来事が増えました。お母さんは心身ともに疲れ果て、毎日涙しながらの生活になり、このままでは自分が病気になると言って再び参加するようになり、ほかの家族と比較するのではなく、子どもに向き合い自分ができることを積み重ねていくよう努力されました。

焦らずまずは土づくりから

苦しい時は涙を流されることもありましたが、娘さんが問題を起こさざるを得ない気持ちを理解する努力とその具体的な対応を続けた結果、ついに変化が見られ、娘さんと私の面接が可能となりました。彼女の生きづらさへの理解を深めていくうちに「誰かと関われば必ずトラブルになる。だから心を閉ざすしかなかった」と話すようになり、理解者が増えることで怒りは徐々に収まるようになりました。

今では目標に向かって歩き出し、母親は「この数年間、地獄のような毎日で本当に苦しかった。今は家族で笑うこともでき、こんな穏やかな日が来るとは思ってもみなかった」と言われています。このように、具体的な対応方法を学んだり親だけが頑張ればよいのではなく、支援者とともに頑張ることのできる環境が大切なのです。

私たちが行っている家族心理教育は、苦しいことを吐き出すだけでは終わりません。家族の心の手当てをしながら、それぞれに具体的な対応方法をお伝えし、グループ全体で学び合います。つらい体験を共有し、互いに励まし合いながら前に進んでいきます。ともに泣き、ともに笑い、そして最後には元気になって「また1か月頑張ろう」と帰っていかれます。その積み重ねで親も強くなり、子どもに向き合うことができるのだと思います。このような、家族にとっての「居場所」は必ずあるので、門を叩いてみてください。

適度な距離を保つ

親子の絆は、本人たちが望んでいるかどうかは別として、生まれた時から死ぬまで続くものです。親は不完全なものであり、時に子どもに大声をあげたり、コントロールしすぎたりしてしまうこともありますが、それだけで親失格というわけではありません。しかし、子どもをコントロールする行動が続き、その人生を支配するまでになってしまうこともあります。

親子関係のなかには、親が子をコントロールしようとすることを通して、共依存の関係ができあがってしまう場合があります。「あなたのためを思って」「私がいなければ」「子どものために何かしてあげている」という考え方があったとしたら要注意です。

子どものひきこもりで心が疲れきっている時には、現状をどうしたいのか分からなくなってしまいがちです。高齢の親ならなおさらです。何とかしたいという思いと、どうにもならないという葛藤の中でもがき苦しみ、息をひそめるように生活をされていることと思います。そして、耐えきれない事態を心の奥にしまい込み、蓋をしてしまうことでしか心は安定しません。

第三者の支援を受け入れることは、蓋を開けて現実に向き合うことになるので、難しいことも理解できます。子を思わない親はいません。傷つきながら、自己を犠牲にしてまでも護ろうとします。特に母親は「この子を理解しているのは私だけ」と、子どもが困らないように無意識に手を出し、一心同体化していく傾向があります。しかし、一心同体とは「身も心も一人の人間のような、堅い絆を持つ関係」を言います。この状態では、子どもの心は閉ざされたままで、そこに絆はありません。だからこそ、親が元気なうちに誰かとつながっておく必要があるのです。なぜなら、親亡き後、一番苦しむのは親ではなく社会から孤立した子どもだからです。

子どもとの心の距離のとり方は難しいと思います。暴力・暴言があった場合は距離をとりなさいと指導を受けるけど、距離の縮め方は誰も教えてくれなかったと言われることがあります。そもそも親のどのような対応が問題なのか、理解ができないと変わることができません。

これはよくある話の例ですが、「夕食できたよ」と親が声をかけても返事がないので、再度声をかけると「うるさい、しつこい」と怒鳴られます。次は「声をかけるな。電話をワン切りしてくれ」と提案され、従っていたのですが、それでも食事に来ないので、ワン切りを数回繰り返したところ、床をドンとする音がするようになりました。このような状態が日常化すると、次第に一緒に食事をしなくなり、部屋からも出てこなくなります。親は食事の声かけをしただけで問題はないと思うかもしれません。しかし、「止めてくれ」と言っているのに「食事をしないと心配だから」という気持ちの押しつけが問題なのです。

そのほか、「部屋に入ってくるな」と言われたのに、熱中症になっているのではないかと心配しすぎるあまり、勝手に部屋に入っていませんか？　これも同様に距離が近すぎるのです。「床ドン」は、言ってもやめてくれないので苦しいという心の叫び、抵抗する姿であり、距離をとってくれという合図なのです。ここでその気持ちを受け止めることなく、「お母さんはあなたのためを思って……」と言うと、「心の侵入＝攻撃」と感じてしまい、最悪の事態が起きてしまうことは想像できると思います。以前、「ソーシャルディスタンスを守ってくれ」と言った子どもがいます。これはコロナ禍のことではなく、親との心の距離なのです。

逆に距離が遠すぎるご家族も存在します。子どもが存在しないかのような対応がそれです。

適度な距離感をとりながらも、常に声かけを

ご飯ができたから、
ここに置いておくね
今現在の家庭内ソーシャルディスタンス

「存在しない者」への扱いは「無視」であり、絶対にしてはいけません。これは「存在価値の否定」でしかありません。マザー・テレサの「孤独」に関する名言に「最悪の病気と最悪の苦しみは、必要とされないこと、愛されないこと、大切にされないこと、すべての人に拒絶されること、自分が誰でもなくなってしまうことだと、より実感するようになりました」があります。ですので、ひきこもりの子どもに対しては、**その存在を意義あるものとして認めるような関わり方が必要**なのです。たとえ返事がなくても、独り言のように声かけをしていきましょう。嫌味ではなく、押しつけでもない、思いやりのある言葉を適度な距離感をとりながら、です。

心の声に変換する

適度な距離によって子どもが姿を見せ、少しずつ会話ができるようになってきたら、子どもの心の苦しさを理解していく段階に入ります。しかし、コミュニケーションのズレ、噛み合わなさがあると、心の距離はなかなか縮まりません。場合によっては知らない間にイライラスイッチを入れてしまうこともあります。

例えば、子どもから「死にたい、殺してくれ」と言われたとしたら、何と答えますか？「何でそんなことを言うの？」と言い返す。あるいは言葉が見つからず、悲しくなって子どもの前で涙を流してしまうかもしれません。ここで大切なのは、**言葉どおりに受け止めて反応するのではなく、言葉に隠れている思い、心の声をキャッチすること**です。「死にたいくらい苦しい」と受け止められたなら、「死にたいと思うくらい苦しいのね。何がそんなに苦しいのか話してほしい」という言葉が見つかるかもしれません。また、言葉が見つからなくても、苦しいのだろうなという思いをう受け止めるだけでも良いと思います。

しかし、なかなか理解できず、暴言を暴言で抑え込もうとして取っ組み合いのケンカになってしまうということもよく聞きます。ドラえもんに出てくるような「ほんやくコンニャク（食べると相手が話した外国語を瞬時に日本語に翻訳)」があればいいのにと思うほどです。以下のように言動を心の声に変換できたら、どのように共感したらいいのかのヒントになるのではないでしょうか。そして、さらに対話を広げることでコミュニケーションは深まっていきます。

例1　「お母さんのところに行きたい。死にたい」
⇩「私を唯一理解してくれていたお母さんが死んで悲しい。苦しい。助けて」

例2　「工事の音がうるさい。ぶっ殺してやる」
⇩「騒音を何とかしてほしい。聴覚過敏のために生命を脅かされそうな感覚になる」

例3　「働けとか言うな」
⇩「うまくいかなかったことを理解してほしい。働きたい気持ちはあるけど、どうしたらいいいかが分からない」

例4　「外出するのは無理」
⇩「人の目が気になって外出するのが怖い」

フラッシュバックなどで攻撃的な時の対応

トラウマというと、いじめや虐待、災害、事故などが思いつくと思います。このような体験をした人の一部には、フラッシュバックという反応が起こることが知られています。些細な物音や子どもの声などによってその場面が繰り返し目に浮かび、苦しかった体験が想起されます。過呼吸状態や気分のむらが激しくなるほか、うつ状態になるなど、心身の反応はさまざまです。

ひきこもりの子どもにもそれが生じることがあります。過去の出来事を思い出し、「あの時、親がこうしてくれなかった」などと突然怒り出し、攻めたてるので、親はどう対応したらいいか分からないという声もよく聞きます。事実とは反するような内容に驚き、「そんなことはない、あの時はこうだった」と訂正しようとするとさらに怒り出し、堂々巡りになってしまいます。ここで大切なのは、内容が事実かどうかを争うことに全く意味はないということです。そうやって何が正しいかと議論したところで、子どものトラウマが癒されることはないからです。

そんなとき子どもは、**当時苦しい思いをしたということを理解、承認してほしいのです。その感情を共感することが大切なのです。**例えば、「そんなふうに感じていたのね。その時に気づいてあげられなくてごめんね」という対応であれば、言動を否定することはなく、その苦しみに近づいていきます。子どもの声を否定せず聴く姿勢を見せ、親が心を開かなければ、「何が苦しいのか言ってくれないと理解できない」と言っても、子どもは決して話すことはないのです。子どもの心の窓を開かせるには、まずは親が心を開かなければなりません。

「言語化して伝える」ことができるように
苦しい気持ちが
吐き出せた
あの時、何も
してくれなかった！
実は
心が軽くなっていた

フラッシュバックとは別に、あまり話さなかった子どもと少しずつ会話が増え、コミュニケーションが取れるようになった時期に、一時的に攻撃的になることがあります。それをまた関係が悪くなったととらえてしまう方も多いと思います。しかし、親の努力が伝わり、受け止めてくれるからこそ、安心して苦しさが吐き出せるようになったのです。これは苦しみを「我慢して耐える」から「言語化して伝える」ことができるようになったということで良い兆しです。一喜一憂しないで、子どもの苦しみを受けとめて、ともに進んでいきましょう。

奇異に見える行動にも意味がある

一見、奇異に感じる行動にも必ず意味があります。それが分かると「なんだ、そういうことか」と謎が解けてスッキリしますが、親にとってその謎解きはかなりの難問です。**見た目も普通で病気でもないため、親の物差しでその行動を理解するのは並大抵のことではありません。**

だからこそ、「困った子」ではなく「何に困っているのだろう」という思いで、本人に聴くことが大切なのです。例えば、「短期の仕事がなくなって家にいることが多くなり、強迫症状が強くなった」という方に、親は短期のバイトができるのであれば、そろそろ正社員の仕事を探したらどうかと言います。しかし、その方が短期のバイトを繰り返しているのには理由がありました。もともと人間関係が苦手で、短期のバイトは○日までという期間が決まっているから頑張れたのです。接客でのクレームならばその場限りの対応で済むので大丈夫ですが、同僚や上司と長期にわたって付き合うことは苦手で、短期のバイトだから働くことができるのです。そのことを自分自身が一番理解しているからこそ、自分に合う仕事を見つけて働いているのです。

もし、正社員でなければ意味がないという親の圧力があったとしたら、自分なりに頑張っていることを否定され苦しむことになります。理解してもらえなければ、働けなくなってしまうかもしれません。また、外出先から帰宅した際には、服を全部脱がなければ自宅が汚されてしまうと感じ、廊下を歩けなくなるそうです。除菌シートで何度も拭き、動けるようにルールを作り、ここは大丈夫だと言い聞かせてから自分の部屋に入るそうです。そんな時に早くしろと親に急かされるとパニックにもなると言います。家族心理教育では、親が疑問に思う子どもの言動において、もしかしたらこういうことかもしれないというように、過去の出来事などをヒントに紐を解きほぐしていきます。そして、本人理解に迫っていきます。

自分の子どもと全く同じというケースはどこにも存在しません。しかし、部分的には似たような症状や状態の子どもを持つ親はたくさんいると思います。お互いの情報を共有することでヒントが見つかるかもしれません。あるいは、元当事者の方から話を聴く機会があるかもしれません。まずは、身近にある家族会につながることが大切です。

危機的な状況への対応

これまで、①子どもが包丁を持ち出した、②暴力や自殺企図などで何度も警察沙汰になっている、③不登校で教育機関・保健所・児童相談所・警察などが関わり、家族が追い詰められている、④この子を殺して自分も死ぬしかないと親が追い込まれている、など、危機介入が必要な多くの家族とも向き合ってきました。ここでも、やることはこれまでお伝えしてきた基本姿勢と一緒です。「暴力を何とかしよう」と関わるのではなく、本人の苦しみを理解すること、対話をすることです。そのうえで、暴力を振るわれることはつらいのでやめてほしいと伝え、暴力があれば警察に連絡することが原則です。

具体的な声のかけ方はケースバイケースになりますが、私が関わったすべてのケースにおいて、包丁を持ち出さなくても苦しさが伝えられるようになりました。私は医師ではないので薬は使いませんが、解決したのです。ここに至るまでになったのは、親の努力があったからこそです。

かつて部屋に出刃包丁を持ってひきこもっていた方（その後、「家族心理教育」で家族関係を回復）は、「あの時、誰かが部屋に入ってきたら殺していたかも」と言っていたそうです。今では笑い話ですが、親もやりかねないと思っていたそうです。壁に穴が開き、暴れる姿を見ていたので、あの状態が続いていた時は、この子を置いて死ぬわけにはいかないし、兄弟や人様に迷惑をかけるのではないかという不安から、自分が子どもを手にかけようとも思っていたと。なので、ふらっとコミュニティにつながっていて本当に良かったと言っていました。

生きる力を奪わず、家の中でできることを増やす

何とかして子どもを働かせたい、社会復帰させたいと思われる気持ちはよく分かります。し

機が熟したら、将来のことを切りだしていく

お父さんもお母さんも、
お前のことが心配なんだ
もしよかったら、今度、
支援施設に行ってみない？

かし、子どもが困らないようにと親が何でもやってしまうと本人の生きる力は落ちていきます。今は親がいるから困ることはありませんが、親なき後、子どもは地獄の生活を送ることになります。だからこそ、まずは家でできることを増やしていかなければなりません。

親はいつまでも元気ではありません。頑張らないで弱みを見せることも大切です。「体調が悪いから手伝ってくれないか」と、子どもができそうなことからお願いしてみることが大切です。そうすることで、畑仕事を手伝った、親の受診介助をした、家事をするようになったなど変化してきます。会話ができるようになったら、いつかは将来のことを話さなければなりません。不安を煽るのではなく、親が心配だということ

を伝えます。そのうえで支援者と会ってみないかという提案をしましょう。そのタイミング、言い方は支援者と相談するのがいいと思います。

ひきこもりからの回復に至る答えは、ひきこもっているお子さん本人の中にしかありません。親にできることは、その心の声に耳を傾けることです。それは、親が自分の気持ちを押しつけるのではなく、適度な距離感を保つことによって初めて可能になるのです。苦しいのは親ではなく子ども本人であることを理解し、そのことを踏まえたうえで声かけをするように心掛けましょう。そうすることで、親子の会話はきっと復活していきます。

これまでお伝えしてきたのは、すべて子どもとの適切な関係を保つために基本となる姿勢についてです。親がそれまでの子どもとの接し方を変える。それは決して簡単なことではありませんが、この本を読んだり、地域の集まりに参加したりして、少しずつ学んでいけば、きっと親子の関係性は良い方向に変わっていきます。「変わりたい」と思うその気持ちこそが、明日へとつながる第一歩なのです。

終章

ふらっとコミュニティで
変わった４人のそれから

ここでは、序章で紹介した4名のひきこもりの方々が、親御さんが家族心理教育を受けることでどのように変わっていったかをご紹介します。必ずしもすぐに良い変化が起こるとは限りませんが、大半は時間をかけて家族がゆっくりと良い方向に変わっていきます。

親の意見を押しつけず、本人の気持ちを聞き出すことで状況が好転

学校でいじめを受けてひきこもりになったタケオさん（男性・28歳）

タケオさんの母親が初めて家族心理教育にやってきたのは、タケオさんが26歳、ひきこもりになって11年目のことでした。そこで学んだことを参考に、母親はまずは返事がなくても話しかけ、その際には「……しなさい」「……ではダメよ」といった押しつけは一切言わないように心掛け、簡単な家事を「やっておいてくれたら助かるわ」と依頼するようにしました。

意図的に洗い物を残したまま出かけたり、外からメールで炊飯器のセットや洗濯物の取り込みを頼んだりしているうちに、タケオさんは言われたことはするように。しかし、そうやって少し状況が好転すると、父親が「将来はどうするんだ」などと話しかけるので、タケオさんはそのたびに口をきかない状態に逆戻りしてしまいます。そのため母親は父親に、本人に親の意志を押しつけるようなことを一切言わないようお願いしました。

機能分析では、下着が破れているのに、母親が新しいものを買ってきても古いものを着続けていることについても検討しました。すると、タケオさんには「まだ着られるのにもったいない」という気持ちのほかに、母親が下着を買ってくることに抵抗があるのでは、という話になりました。そこで、「お母さんはもう買ってこないから、下着は自分で買ってきなさい」と言うと、タケオさんは母親が買ってくるブリーフではなく、トランクスを買ってきました。実は、タケオさんは自分の年齢に合わないような気がして、ブリーフが嫌だったそうなのです。

これに似たことはほかにもあり、母親はタケオさんが辛いカレーは食べられないと思って、家では甘口のカレーを出していたのですが、実はタケオさんは辛口が好きだったのです。このように、**母親は自分の思い込みをタケオさんに押しつけていたことに気づいてからは、会話をして相手の気持ちを聞き出すことが増えていきました。**

そのうちにタケオさんは、次第に父親とも会話ができるようになり、食事も3人で話しながら食べられるようになりました。それでもときどき、「お父さんとお母さんは僕が苦しい時に何もしてくれなかった」と言ったりしましたが、二人が「一番つらい時に気づいてあげられなくてすまなかった」と言ってからは、そんな不満を言うこともほとんどなくなったそうです。

事例2

息子のつらかった気持ちを思いやり、新しいスタートを後押し

過酷な勤務に疲れ果てた末にひきこもりになったヒロシさん（男性・46歳）

ヒロシさんの両親は当初、ヒロシさんは10年近くコンビニで働いた経験があるのだから、本来働く能力はあり、ひきこもりといっても一時的なものだろうと思っていました。しかし、思いがけずひきこもりが長期間に及んだので、焦った両親は一日のうち唯一顔を合わせる食事時に、繰り返し「これからどうするの？」「仕事を探したら？」と問いかけました。そのたびにヒロシさんは血相を変えて、食器を激しくテーブルに置くなどの動作をしたため、次第に何も声をかけなくなったとのことでした。

両親は家族心理教育で機能分析を行い、私たちと話し合った結果、就職氷河期で思うような仕事に就けなかったことや、何年も後に明かしてくれた信頼する上司の過労死や交際していた女性の自殺など、**つらいことが多かったヒロシさんの気持ちを思いやることに欠けていたと思うようになりました。**それからは、仕事をするよう急かす声かけはやめ、ただ将来のために「運転免許だけは取っておいたら？　そのためのお金は出すから」と言いました。

ヒロシさんの家は地方にあり、駅や商業施設からも遠く離れているので、確かに運転免許がないとかなり不便です。そのあたりでは就職の条件も運転免許必須のところがほとんどです。ヒロシさんもそのとおりだと思ったのか、自分で自動車学校に行ったのですが、入学の手続きをしないで帰ってきました。あとから私たちふらっとコミュニティのスタッフが聞いたところによると、自動車学校に来ているのは20歳前後の若い人たちがほとんどで、その人たちがグループで楽しそうにしているので、そこに入っていく自信がなくなったとのことでした。

そこで私たちは、自動車学校では必ずしも友達を作ったり、ほかの生徒と話したりする必要はないこと、ふらっとコミュニティでは50歳を過ぎてから働き始めた人たちもいることなどを伝え、一度ふらっとコミュニティのメンバーが集まる場所に来てみるように誘いました。そうして私たちの集まる場所に来たヒロシさんは、そこで30年以上のひきこもり期間を経て50代で病院の食堂での調理補助の仕事を始めたゴロウさんと意気投合し、自分もこれから新しいチャレンジをする気持ちになれたようでした。

最近では、食事の時にふらっとコミュニティや自動車学校でその日あったことを少し話すようになったり、最近は足が悪くなって運転を控えるようになった父親に、「俺が免許をとったら最近行けていないお墓参りに行こう」などと言ったりするようになったそうです。

機能分析で娘の気持ちが想像できるようになり、対応の仕方を変えると

不登校から立ち直れずにひきこもりになったヨウコさん（女性・23歳）

家族心理教育の機能分析で、母親はヨウコさんが洗濯物を畳みながら泣いている場面を思い返しました。ある夜、母親がヨウコさんに「自分の洗濯物くらい畳まないとね」と声をかけると、ヨウコさんは洗濯機から取り出したまま置いてあった自分の肌着やTシャツを畳み始めたのですが、母親が続けて「お母さんは仕事で忙しいんだから、これからも洗濯とか、洗い物くらいはやってもらわないと」と言うと、ヨウコさんは泣き始めたというのです。

母親はその時、娘がなぜ泣くのか理解できず途方にくれたのですが、機能分析をすることで、「せっかくいま頼まれたことをやっているのに、どうしてお母さんの仕事のことや、これからのことまで言うのか」とつらくなったヨウコさんの気持ちを、初めて想像することができたといいます。

その後、ヨウコさんは「あまりに人と会わず、外の世界との接点がないのが怖い」と言うので、精神科の通院と、ふらっとコミュニティへの通所を始めました。次第に「お母さんは私と外に出かけるとしゃべらなくなるから、私は一緒に外出すると恥ずかしい存在なのかと悲しくなる」「お姉ちゃんは外で働いていて元気なので、一緒にいると疲れるし、引け目を感じる」と気持ちを打ち明けるようになったので、**母親はヨウコさんの存在を恥ずかしいとは思っていないこと、家族なのに会話がないのは寂しいと思っていることを伝えました。**

そのような経過を経て、小さい頃に家族で行って楽しい思い出があった京都に、祖母と母とヨウコさんで1泊2日の旅行をすることもできました。そして、ヨウコさんがいつも動画を見ていたアイドルグループのライブに応募したところ、チケットが当選し、思いきって東京の公演に一人で行くことを決意しました。ホテルや新幹線の予約、途中で具合が悪くならないかなど、心配事はたくさんありましたが、無事に行ってライブを鑑賞することができ、ヨウコさんは一人でいろいろなことができる自信がついたそうです。

家族の人たちは、自分たちの対応が変わればヨウコさんの行動にも変化が出てくることに気づき、それまでヨウコさんが働かないことに腹をたててヨウコさんを無視するような態度をとっていた姉もヨウコさんと話すように。祖母もヨウコさんが嫌いだったタバコをやめる決意をし、ヨウコさんがアイドルの動画を観ることに眉をひそめることもなくなったそうです。最近のヨウコさんは「何かバイトを始めたいけど、何がいいだろう」と話すようになりました。

事例4

娘が頑張ってきたことを褒めることで両親といい関係に

ネット上で出会った男性との交際を始めていたサオリさん（女性・32歳）

ふらっとコミュニティのスタッフはサオリさんの家を訪問し、これまでのさまざまな話をしたあと、ネット上でしか会ったことのない男性は信用できないこと、送金するのはやめたほうがいいことなどを伝えました。すると、サオリさんは泣きながら「自分にとっては初めてできた恋人で嬉しかった。でも、自分でもおかしいと思っていたので、送金するのはやめる」と言い、「中1の時にいじめられて、それからは自分の気持ちを押し殺して生きてきた。クラスメートに『臭い』と言われたことがあったので、自分には恋人はできないと思っていた」と打ち明けました。両親にとっては初めて知る話だったので、とても驚いたといいます。

それでサオリさんはネットで男性とやりとりするのをやめたのですが、今度は1時間も手を洗い続けるといった強迫症状が出始めたため、一度安心できる場所でゆっくり休んで治療したほうがいいということで、精神科病院に2か月入院しました。その間に強迫症状は治まり、入院中に医療スタッフや患者仲間と話したことで、「このまま家にいても成長しないので、グループホームに入居したい」と話すようになりました。そこでグループホームを3か所見学したのですが、いざ入居するとなると不安があるようで、結局は入居せずに家で過ごしています。

その後、ひきこもりや精神科の患者が集まる通所サービスに行くようになり、それからは外出も増え、家でも料理をしたり、洗濯をしたりするようになりました。両親との会話もするようになったので安心していたのですが、ある時から通所サービスに来ている男性と交際するようになりました。サオリさんの両親は、相手が会社員などではなく、通所サービスに来ている男性であることも含めて、交際に賛成する気になれず、困っているとのことでした。

それでも、サオリさんが外に出られるようになり、家族と会話をして家の手伝いをできるようになったことについては、**サオリさんの両親は「あなたがこの1年で頑張って変わってきたことはすごいと思う」と伝えました。**サオリさんの誕生日も数年ぶりにケーキを買ってお祝いしたところ、今度は父親の誕生日にサオリさんがケーキを買ってきたそうです。

最近になりサオリさんは就職の準備を始めていますが、32歳でほとんど社会人経験がないのでは、普通の就職は難しいと自身では考えています。そこで、障害者手帳を取得して、障害者雇用ということで就職できないかとサオリさんは考えているのですが、サオリさんの両親は、娘が障害者であるということはなかなか受け入れられないようで、悩んでいるようです。

4名のひきこもりの方々とそのご家族が、「家族心理教育」を受けることでどう変わったかを、凝縮して簡潔にご紹介しました。ここまで本書を読んできた親御さんは、最後に4名のケースを読んでどのような感想を持たれたでしょうか。

まだこの本を読んだばかりの人は、この本に書いてある内容をまだ実践していないか、始めたばかりでしょうから、お子さんに変化が起こるまでにはまだ至っていないという方がほとんどでしょう。本当に自分の子どもの状態も良い方向に向かって、親と会話をしたり外に出たりすることができるようになるのか、不安に思う気持ちもあるかもしれません。

または、本書の内容を実践しているつもりでも、変化が見えず、自分の努力は何なんだろうと悲しく思うことがあるかもしれません。

しかし、前にも述べたとおり、地面から芽が出ていなくても、親御さんが変わることで、種は地面の下で根を張り始めているのです。親御さんがご自分とお子さんのもつ力を信じて、本書に書かれた内容を実践していけば、その変化はいつか目に見えるところで現れます。大切に育ててきた種から伸びた芽が、地面の上に顔を出すのです。

焦りは禁物ですが、もっといけないのは諦めてしまうことです。お子さんのもっている力をもう一度信じる気持ちで、本書の内容を実践してみてください。

おわりに

誰一人として孤立させない社会を

「慌てない」「焦らない」「諦めない」は、親としての心の持ちようです。しかし、ひきこもりが長期化し、親が歳をとればなおさらのこと、慌てることも焦ることも日常的な感情です。また、何も変わらない現状に疲れ果て、限界を感じて諦めてしまうのも当たり前のことだと思います。

大切なのは、慌てている自分、焦っている自分、諦めている自分を否定することなく、客観的に見つめることだと思います。そのためには、一人で悩まずに同じ境遇の家族と一緒に語り合うなかで、自分の感情に向き合うことが大切です。まずは親が冷静になり、落ち着かなければ、トンネルの中から抜け出すことはできません。暗闇から抜けだすために、ただジッとしていても事態が変わることは決してありません。何度も出口を探して動き回り、疲れ果てて歩けなくなっている方もおられるでしょう。むやみに動き回ってしまうと怪我をしてしまうこともあります。

しかし、この本を読まれた今、少しだけ光が見えてきたのではないでしょうか。その光を目指し、足元をよく見て、少しずつ前に進んでみませんか？　確実に出口に近づくはずです。もし疲れて歩けなくなった時は、大きな声で周囲の人に助けを求めてください。きっと誰かがその声を聴いてくれます。どうか一人で頑張らないでください。誰かに頼っても良いのです。そして、助けが来た時は、手を振り払うことなく、足元をライトで照らしてもらったり、ケガの手当てをしてもらったりしながら、一緒にゴールを目指してはいかがでしょう。そのほうが、きっと楽に歩けます。

親は歳をとり、子どもの手を引けなくなる日が、いつか必ずやってきます。親亡き後、子どもがトンネルの中で一人取り残されないためにも、親が誰かとつながってください。諦めなければ、ゴールにたどりつけます。再び子どもと心が通い合い、心から笑える、そんな日が必ず来ます。

私は、これからも家族や当事者の方たちとともに歩いていきます。一人でも多くの方がゴールを目指せるように、明かりを照らし続けていきたいと思っています。そして、皆様の心の手当てや伴走ができる人が増えるように、私の実践を伝えていきたいと思います。

ひきこもりの方は、さまざまな生きづらさを抱えて苦しみ、誰からも理解されずに孤立し、心を閉ざすしかなかった人です。人との関係で傷ついた心は、人との関係でしか解決しません。強引な手口で解決を図るのではなく、氷のように凍った心を溶かすことができる支援者が増えるよう、努力していきたいと思っています。

誰一人として孤立させない社会を作っていくのは、私たち一人ひとりです。

山根俊恵

２０２１年８月

【著者紹介】

山根　俊恵（やまね　としえ）

山口大学大学院 医学系研究科保健学専攻教授。NPO法人ふらっとコミュニティ代表。看護師、介護支援専門員（ケアマネジャー）、精神科認定看護師、認知症ケア専門士の資格を持つ。「心のケア」を専門としており、2005年にNPO法人ふらっとコミュニティを立ち上げ、地域において民家を借り、精神障がい者やひきこもり者の支援を行っている。2018年に「保健文化賞」を受賞。著書に『ケアマネ・福祉職のための精神疾患ガイド 疾患・症状の理解と支援のポイント』『チームで取り組むケアマネ・医療・福祉職のための精神疾患ガイド』（ともに小社刊）。

親も子も楽になる
ひきこもり“心の距離”を縮める
コミュニケーションの方法　改訂版

2022年4月1日　発行

著　者	山根俊恵
発行者	荘村明彦
発行所	中央法規出版株式会社 〒110-0016 東京都台東区台東3-29-1　中央法規ビル TEL 03-6387-3196 https://www.chuohoki.co.jp/

装幀デザイン	DeHAMA
編集協力	里中高志（早稲田企画）
本文イラスト	豊島愛（キットデザイン）
DTP	大室衛（早稲田企画）
印刷・製本	図書印刷

ISBN978-4-8058-8494-2
定価はカバーに表示してあります。落丁本・乱丁本はお取り替えいたします。

本書の内容に関するご質問については、下記URLから「お問い合わせフォーム」にご入力いただきますようお願いいたします。
https://www.chuohoki.co.jp/contact/